60

THIENEMANN

Michael Ende

Der satanarchäolügenialkohöllische Wunschpunsch

mit Bildern von Regina Kehn

INHALT

An diesem letzten Nachmittag des Jahres war es schon ungewöhnlich früh stockdunkel geworden. Schwarze Wolken hatten den Himmel verfinstert, und ein Schneesturm fegte seit Stunden durch den Toten Park.

Im Inneren der Villa Alptraum regte sich nichts – außer dem flackernden Widerschein des Feuers, das mit grünen Flammen im offenen Kamin brannte und das Zauberlabor in gespenstisches Licht tauchte.

Die Pendeluhr über dem Kaminsims setzte rasselnd ihr Räderwerk in Gang. Es handelte sich um eine Art Kuckucksuhr, nur daß ihr kunstvolles Spielwerk einen wehen Daumen darstellte, auf den ein Hammer schlug.

»Aua!« sagte sie. »Aua! – Aua! – Aua! – Aua!«

Es war also fünf Uhr.

Für gewöhnlich machte es den Geheimen Zauberrat Beelzebub Irrwitzer immer ausgesprochen guter Laune, sie schlagen zu hören, aber an diesem Sylvesterabend warf er ihr einen eher gramerfüllten Blick zu. Er winkte ihr mit einer lustlosen Handbewegung ab und hüllte sich in den Rauch seiner Pfeife. Mit umwölkter Stirn brütete er vor sich hin. Er wußte, daß ihm größere Unannehmlichkeiten bevorstanden, und zwar sehr bald, spätestens um Mitternacht – bei Jahreswechsel.

Der Zauberer saß in einem geräumigen Ohrenbackensessel, den vor vierhundert Jahren ein handwerklich begabter Vampyr eigenhändig aus Sargbrettern geschreinert hatte. Die Polster bestanden aus Werwolfsfellen, die freilich inzwischen schon ein bißchen schäbig geworden waren. Dieses Möbel war ein Familienerbstück, und Irrwitzer hielt es in Ehren, obwohl er sonst eher fortschrittlich eingestellt war und mit der Zeit ging – jedenfalls, was seine berufliche Tätigkeit betraf.

Die Pfeife, aus der er rauchte, stellte einen kleinen Totenkopf dar, dessen Augen aus grünem Glas bei jedem Zug aufglühten. Die Rauchwölkchen bildeten in der Luft allerlei seltsame Figuren: Zahlen und Formeln, sich ringelnde Schlangen, Fledermäuse, kleine Gespenster, aber hauptsächlich Fragezeichen.

Beelzebub Irrwitzer seufzte tief, erhob sich und begann in seinem Labor auf und ab zu gehen. Man würde ihn zur Rechenschaft ziehen, dessen war er sicher. Aber mit wem würde er es zu tun bekommen? Und was konnte er zu seiner Verteidigung vorbringen? Und vor allem: Würde man ihm seine Gründe abnehmen?

Seine lange, knochendürre Gestalt steckte in einem

faltenreichen Schlafrock aus giftgrüner Seide. (Giftgrün war die Lieblingsfarbe des Geheimen Zauberrates.) Sein Kopf war klein und kahl und sah irgendwie verschrumpelt aus, wie ein vertrockneter Apfel. Auf seiner Hakennase saß eine mächtige, schwarzrandige Brille mit blitzenden Gläsern, die so dick waren wie Lupen und seine Augen unnatürlich vergrößerten. Seine Ohren standen vom Kopf ab wie Henkel von einem Topf, und sein Mund war so schmal, als wäre er ihm mit einem Rasiermesser ins Gesicht geschnitten worden. Alles in allem war er nicht gerade der Typ, zu dem man auf den ersten Blick Vertrauen fassen würde. Aber das störte Irrwitzer nicht im geringsten; er war noch nie ein geselliger Zeitgenosse gewesen. Er zog es vor, möglichst für sich zu bleiben und im Verborgenen zu wirken.

Einmal hielt er in seiner Wanderung inne und kratzte sich nachdenklich auf der Glatze.

»Wenigstens das Elixier Nummer 92 müßte heute unbedingt noch fertig werden«, murmelte er, »wenigstens das. Wenn mir nur nicht der verdammte Kater wieder dazwischenkommt.«

Er trat zum Kamin.

In den grünen Flammen stand auf einem eisernen Dreifuß ein gläserner Kessel, in dem ein gewisses Süppchen vor sich hin köchelte, das ziemlich ekelerregend aussah: schwarz wie Teer und glibberig wie Schneckenschleim. Während er prüfend mit einem Bergkristallstab in dem Zeugs herumrührte, lauschte er gedankenverloren auf das Brausen und Winseln des Schneesturms, der an den Fensterläden rüttelte.

Das Süppchen würde leider noch eine ganze Weile vor sich hin blubbern müssen, ehe es ausgekocht war und gehörig transmutierte.

Sobald das Elixier erst einmal fertig war, würde es ein völlig geschmackloses Mittelchen ergeben, das man in jede Speise und jedes Getränk mixen konnte. Alle Leute, die es zu sich nahmen, würden fortan fest daran glauben, daß alles, was aus Irrwitzers Produktion stammte, dem Fortschritt der Menschheit diente. Der Zauberer hatte vor, es schon bald nach Neujahr an alle Supermärkte der Stadt zu liefern. Dort sollte es unter dem Namen »Muntermanns Diät« verkauft werden.

Aber noch war es nicht soweit. Die Sache brauchte Zeit – und das war eben der wunde Punkt.

Der Geheime Zauberrat legte die Pfeife weg und ließ seinen Blick durch das Halbdunkel des Labors schweifen. Der Widerschein des grünen Feuers zuckte über die Berge von alten und neuen Büchern, in denen all die

Formeln und Rezepte standen, die Irrwitzer für seine Experimente brauchte. Aus den dunklen Ecken des Saales blinkten geheimnisvoll Retorten, Gläser, Flaschen und spiralige Röhren, in denen Flüssigkeiten aller Farben stiegen und fielen, tropften und dampften. Außerdem gab es Computer und elektrische Geräte, an denen fortwährend winzige Lämpchen flimmerten oder die leise Summ- und Piepstönchen von sich gaben. In einer finsteren Nische schwebten geräuschlos und beständig rot und blau leuchtende Kugeln auf und nieder, und in einem kristallenen Behälter wirbelte Rauch, der sich in gewissen Abständen zur Form einer glimmenden Gespensterblume zusammenzog.

Irrwitzer war, wie schon gesagt, durchaus auf der Höhe der modernen Entwicklung, ja er war ihr in mancher Hinsicht ein gutes Stück voraus.

Nur mit seinen Terminen war er rettungslos im Rückstand.

MADE IN GERMANY

Ein leises Hüsteln ließ ihn aufschrecken.

Er fuhr herum.

In dem großen alten Ohrenbackensessel saß jemand.

Aha, dachte er, es geht los. Jetzt nur nicht klein beigeben!

Nun ist ein Zauberer – und ganz besonders einer von Irrwitzers Schlag – natürlich daran gewöhnt, daß allerhand absonderliche Kreaturen bei ihm erscheinen, oft auch unangemeldet und ungerufen; aber das sind dann für gewöhnlich Geister, die den Kopf unterm Arm tragen, oder Unholde mit drei Augen und sechs Händen, oder Drachen, die Feuer spucken, oder sonst irgendwelche Monstrositäten. So etwas hätte den Geheimen Zauberrat absolut nicht erschreckt, er war damit vertraut, es war sein ganz alltäglicher oder allnächtlicher Umgang.

Aber dieser Besucher hier war ganz anders. Er sah so normal aus wie irgendein Mann von der Straße – geradezu unheimlich normal. Und das brachte Irrwitzer aus der Fassung.

Der Kerl trug einen korrekten schwarzen Mantel,

einen steifen schwarzen Hut auf dem Kopf, schwarze Handschuhe, und er hielt eine schwarze Aktentasche auf den Knien. Sein Gesicht war völlig ausdruckslos, nur sehr bleich, fast weiß. Seine farblosen Augen standen etwas vor, er glotzte ohne zu blinzeln. Er hatte keine Augenlider.

Irrwitzer gab sich einen Ruck und trat auf den Besucher zu.

»Wer sind Sie? Was wollen Sie hier?«

Der andere ließ sich Zeit. Er starrte sein Gegenüber ein Weilchen aus kalten Glubschaugen an, ehe er mit tonloser Stimme erwiderte: »Habe ich das Vergnügen mit dem Geheimen Zauberrat Professor Doktor Beelzebub Irrwitzer?«

»Sie haben das Vergnügen. – Und?«

»Erlauben Sie gütigst, daß ich mich vorstelle.«

Ohne sich aus dem Sessel zu erheben, lüpfte der Besucher ein wenig seinen Hut; für einen Augenblick wurden auf seinem glatten weißen Schädel zwei kleine, rötliche Höcker sichtbar, die wie Eiterbeulen aussahen.

»Mein Name ist Made – Maledictus Made, wenn Sie gestatten.«

Der Zauberer war noch immer entschlossen, sich nicht beeindrucken zu lassen.

»Und was gibt Ihnen das Recht, mich zu belästigen?«

»Oh«, sagte Herr Made ohne zu lächeln, »wenn Sie mir die Bemerkung gestatten, mein Herr – eine so törichte Frage sollten gerade Sie nicht stellen.«

Irrwitzer knetete seine Finger, daß sie knackten.

»Kommen Sie etwa von ...?«

»Ganz recht«, bestätigte der Mann, »von dort.«

Dabei wies er mit dem Daumen nach unten.

Irrwitzer schluckte trocken und schwieg.

Der andere fuhr fort: »Ich komme im persönlichen Auftrag Seiner Höllischen Exzellenz, Ihres hochverehrten Gönners.«

Der Zauberer versuchte, ein erfreutes Lächeln vorzutäuschen, aber seine Zähne schienen plötzlich zusammenzukleben. Nur mit Mühe brachte er heraus: »Welche Ehre!«

»Das ist es, mein Herr«, antwortete der Besucher. »Ich komme vom Herrn Minister der Äußersten Finsternis höchstselbst, seiner Exzellenz Beelzebub, dessen Namen tragen zu dürfen Sie die unverdiente Auszeichnung genießen. Meine Wenigkeit ist nur ausführendes Organ der untersten Kategorie. Wenn ich meinen Auftrag zur Zufriedenheit seiner Exzellenz ausgeführt haben werde, dann darf ich hoffen, bald befördert zu werden – vielleicht sogar zum Quälgeist mit eigenem Ressort.«

»Glückwunsch, Herr Made«, stammelte Irrwitzer, »und worin besteht Ihr Auftrag?« Sein Gesicht spielte jetzt ein wenig ins Grünliche.

»Ich bin«, erklärte Herr Made, »ausschließlich in amtlicher Funktion hier, sozusagen als Gerichtsvollzieher.«

Der Zauberer mußte sich räuspern, seine Stimme klang belegt.

»Aber was – bei allen schwarzen Löchern des Universums – was wollen Sie denn bei mir? Etwa pfänden? Da muß ein Irrtum vorliegen.«

»Man wird sehen«, meinte Herr Made.

Er zog ein Dokument aus seiner schwarzen Aktentasche und hielt es Irrwitzer hin.

»Dieser Vertrag ist Ihnen doch zweifellos bekannt, verehrter Herr Zauberrat. Sie selbst in persona haben ihn seinerzeit mit meinem Chef geschlossen und eigenhändig unterzeichnet. Er besagt, daß Ihnen von Seiten Ihres Gönners außerordentliche Machtbefugnisse in diesem Jahrhundert eingeräumt werden – wirklich ganz außerordentliche Machtbefugnisse über die gesamte Natur und auch über Ihre Mitmenschen. Er besagt aber andererseits, daß Sie sich verpflichten, bis zu jedem Jahresende, direkt oder indirekt, zehn Tierarten auszurotten, gleich ob Schmetterlinge, Fische oder Säugetiere, ferner fünf Flüsse zu vergiften, oder fünfmal ein und denselben Fluß, des weiteren mindestens zehntausend Bäume zum Absterben zu bringen und so weiter und so fort, bis zu den letzten Punkten: Jährlich mindestens *eine* neue Seuche in die Welt zu setzen, an der Menschen oder Tiere oder auch beide zugleich krepieren. Und letztens: Das Klima Ihres Landes so zu manipulieren, daß die Jahreszeiten durcheinander geraten und entweder Dürreperioden oder Überschwemmungen entstehen. – Sie sind dieser Verpflichtung im abgelaufenen Jahr nur zur Hälfte nachgekommen, mein verehrter Herr. Das findet mein Chef sehr, sehr bedauerlich. Er ist – fast möchte ich sagen – ungehalten. Sie wissen, was das bei Seiner Exzellenz bedeutet. Wollten Sie etwas erwidern?«

Irrwitzer, der schon mehrfach versucht hatte, den Besucher zu unterbrechen, sprudelte hervor: »Aber das alte Jahr ist doch noch nicht um! Du liebes Dioxinchen, es ist doch erst Sylvesterabend. Ich habe noch Zeit bis Mitternacht.«

Herr Made starrte ihn mit lidlosem Blick an.

»Zweifellos, und gedenken Sie...«, er schaute kurz nach der Uhr, »in diesen wenigen verbleibenden Stunden alles das nachzuholen, mein Herr? Tatsächlich?«

»Selbstverständlich!« bellte Irrwitzer heiser. Doch dann ließ er plötzlich den Kopf hängen und murmelte kleinlaut: »Nein, unmöglich.«

Der Besucher stand auf und trat an eine Wand nahe dem Kamin, wo säuberlich gerahmt alle Urkunden über die Titel des Geheimen Zauberrats hingen. Wie die meisten seinesgleichen legte Irrwitzer größten Wert auf solche Titel. Auf einer Urkunde stand beispielsweise »M.A.S.K.« (Mitglied der Akademie der Schwarzen Künste), auf einer anderen »Dr.h.c.« (Doctor horroris causa), auf einer dritten »Pr.Doz.a.I.« (Privatdozent für angewandte Infamie) und auf einer weiteren »M.d.B.« (Mitglied der Blocksbergnacht) und viele andere mehr.

»Also hören Sie mal«, sagte Irrwitzer, »lassen Sie uns doch vernünftig reden. Es liegt wirklich nicht an meinem bösen Willen, der ist in ausreichendem Maße vorhanden, glauben Sie mir.«

»Wirklich?« fragte Herr Made.

Der Zauberer trocknete sich mit einem Schnupftuch den kalten Schweiß von der Glatze.

»Ich werde das alles so bald wie möglich nachholen. Darauf kann Seine Exzellenz sich verlassen. Sagen Sie ihm das bitte.«

»Nachholen?« fragte Herr Made.

»Ach verdammt nochmal«, rief Irrwitzer, »es sind eben Umstände eingetreten, die es mir unmöglich machten, meine vertraglichen Pflichten rechtzeitig zu erfüllen. Ein kleiner Aufschub, und alles kommt wieder in Ordnung.«

»Umstände?« wiederholte Herr Made, während er weiterhin ohne sonderliches Interesse die Urkunden studierte. »Welche Umstände?«

Der Zauberer trat dicht hinter ihn und redete auf den steifen schwarzen Hut ein.

»Sie wissen doch vermutlich selbst, was ich in den letzten Jahren geleistet habe. Das war weit mehr als meine vertragliche Pflicht.«

Herr Made drehte sich um und richtete seinen glasigen Blick auf Irrwitzers Gesicht.

»Sagen wir, es war ausreichend – soso lala.«

In seiner Angst wurde der Geheime Zauberrat zunehmend geschwätziger, bis er sich schließlich sogar verhaspelte:

»Man kann eben einfach keinen Vernichtungskrieg führen, ohne daß der Feind es früher oder später bemerkt. Gerade wegen meiner besonderen Leistungen fängt die Natur jetzt an, sich zur Wehr zu setzen. Sie bereitet sich darauf vor, zurückzuschlagen – sie weiß nur noch nicht genau, gegen wen. Die ersten, die anfingen rebellisch zu werden, waren natürlich die Elementargeister, die Gnomen, Zwerge, Undinen und Elfen – sie sind ja die schlauesten. Es hat mich enorme Anstrengung und viel Zeit gekostet, alle diejenigen einzufangen und unschädlich zu machen, die etwas über uns herausgefunden hatten und unseren Plänen gefährlich werden konnten. Vernichten kann man sie ja leider nicht, weil sie unsterblich sind, aber ich konnte sie einsperren und durch meine Zauberkräfte völlig lähmen. Es ist übrigens eine sehenswerte Sammlung – dort draußen im Korridor, falls Sie sich selbst überzeugen wollen, Herr Larve...«

»Made«, sagte der Besucher, ohne der Einladung zu folgen.

»Wie? Ach so, ja – Herr Made, natürlich. Entschuldigen Sie.«

Der Zauberer brachte ein kleines nervöses Lachen zustande.

»Die übrigen Elementargeister haben es mit der Angst bekommen und sich in die entlegensten Winkel der Welt zurückgezogen. Die sind wir also los.

Aber inzwischen haben nun schon die Tiere Verdacht geschöpft. Sie haben einen Hohen Rat einberufen, und der hat entschieden, geheime Beobachter in alle Himmelsrichtungen zu schicken, um die Ursache des Übels zu finden. Und leider habe ich auch so einen Spion im Haus – seit etwa einem Jahr. Es handelt sich um einen kleinen Kater. Glücklicherweise ist er nicht gerade der Klügsten einer. Er schläft jetzt, falls Sie ihn besichtigen wollen. Er schläft übrigens sehr viel – und nicht nur von Natur aus.«

Der Zauberer grinste.

»Ich habe dafür gesorgt, daß er nichts von meiner wirklichen Tätigkeit bemerkt. Er ahnt nicht einmal, daß ich weiß, wozu er hier ist. Ich habe ihn fett gefüttert und verhätschelt, deshalb glaubt er, ich sei ein großer Tierfreund. Er vergöttert mich geradezu, der kleine Schwachkopf. Aber Sie werden verstehen, verehrter Herr Larve . . .«

»Made!« sagte der andere, diesmal schon ziemlich scharf. Sein fahles Gesicht wurde nur von den unruhigen Flammen des Kaminfeuers beleuchtet und sah jetzt äußerst ungemütlich aus.

Der Zauberer knickte förmlich zusammen.

»Verzeihung, Verzeihung«, er schlug sich mit der Hand vor die Stirn, »ich bin etwas zerstreut, das kommt vom Streß. Es war ziemlich nervenaufreibend, meine Vertragspflichten zu erfüllen und gleichzeitig diesen Spion im eigenen Haus ständig zu täuschen. Denn wenn er auch einfältig ist, so hat er eben doch sehr gute Augen und Ohren – wie alle Katzen. Ich mußte unter äußerst erschwerten Umständen arbeiten, wie Sie zugeben werden. Vor allem kostete es mich leider Zeit, viel Zeit, verehrter Herr – eh –«

»Betrüblich«, unterbrach ihn Herr Made, »wirklich sehr betrüblich. Aber das alles ist *Ihr* Problem, mein

Bester. Am Vertrag ändert das wohl kaum etwas. Oder sehe ich das falsch?«

Irrwitzer krümmte sich.

»Glauben Sie mir, ich hätte diesen verdammten Kater ja längst gern viviseziert, ihn lebendig am Spieß gebraten oder auf den Mond gekickt, aber das würde ganz sicher den Hohen Rat der Tiere alarmieren. Dort weiß man doch, daß er hier bei mir ist. Und mit Tieren ist sehr viel schwerer fertig zu werden als mit Gnomen und ähnlichem Gelichter – oder gar mit Menschen. Mit Menschen gibt es kaum Schwierigkeiten, aber haben Sie schon mal versucht, eine Heuschrecke oder ein Wildschwein zu hypnotisieren? Nichts zu machen! Und wenn sich auf einmal alle Tiere der Welt, die größten und die kleinsten, zusammentäten und gemeinsam auf uns losgingen – da würde kein Zaubermittel mehr helfen! Darum ist äußerste Vorsicht geboten! Erklären Sie das bitte Seiner Höllischen Exzellenz, Ihrem verehrten Herrn Chef.«

Herr Made nahm seine Aktentasche vom Sessel auf und wandte sich dann wieder dem Zauberer zu.

»Es liegt nicht in meinem Aufgabenbereich, Erklärungen zu übermitteln.«

»Was soll das heißen?« schrie Irrwitzer. »Das muß Seine Exzellenz doch einsehen. Es liegt doch in seinem eigenen Interesse. Ich kann schließlich nicht hexen. Das heißt, ich kann es schon, aber es gibt Grenzen, vor allem zeitliche, auch für mich. Und wozu denn überhaupt diese schreckliche Eile? Die Welt wird sowieso bald zugrunde gehen, wir sind doch auf dem besten Wege, da kommt es doch auf ein, zwei Jährchen früher oder später nicht mehr an!«

»Es soll heißen«, nahm Herr Made Irrwitzers erste Frage mit eisiger Höflichkeit auf, »daß Sie nun gewarnt sind. Punkt Mitternacht, bei Jahreswechsel, kehre ich hierher zurück. So lautet mein Auftrag. Wenn Sie bis dahin Ihr vertragliches Soll an Übeltaten nicht erfüllt haben sollten...«

»Was dann?«

»Dann«, sagte Herr Made, »werden Sie, Herr Zauberrat, höchstpersönlich von Amts wegen – gepfändet. Ich wünsche einen recht vergnügten Sylvesterabend.«

»Warten Sie!« rief Irrwitzer. »Nur ein Wort noch, bitte, Herr Larve – eh – Herr Made...«

Aber der Besucher war verschwunden.

Der Zauberer sank auf seinen Lehnstuhl nieder, nahm die dicke Brille ab und schlug beide Hände vors Gesicht. Wenn Schwarzmagier weinen könnten, dann hätte er es jetzt wohl getan. Aber aus seinen Augen rieselten nur ein paar trockene Salzkörnchen.

»Was nun?« krächzte er. »Bei allen Testen und Torturen, was nun?«

Zauberei – gleich ob gute oder böse – ist durchaus keine einfache Angelegenheit. Die meisten Laien glauben zwar, es genüge schon, irgendeine geheime Hokus-Pokus-Formel zu murmeln, äußerstenfalls gehöre vielleicht noch ein Zauberstab dazu, mit dem man ein bißchen herumfuchtelt wie ein Kapellmeister – und fertig sei die Verwandlung oder Erscheinung oder sonstwas.

Aber so ist das eben nicht. In Wirklichkeit ist *jede* Art von magischer Handlung ungeheuer kompliziert; man braucht dazu ein enormes Wissen, eine Unmenge von Zubehör, Material, das meist sehr schwer zu beschaffen ist, und tagelange, manchmal monatelange Vorbereitung. Dazu kommt noch, daß die Sache *immer* höchst gefährlich ist, denn schon der kleinste Fehler kann völlig unabsehbare Folgen haben.

Beelzebub Irrwitzer lief mit wehendem Schlafrock durch die Zimmer und Korridore seines Hauses, auf der verzweifelten Suche nach einem Mittel zu seiner Rettung. Dabei wußte er selbst nur zu gut, daß es schon für alles zu spät war. Er stöhnte und seufzte wie ein unseliger Geist und führte gemurmelte Selbstgespräche. Seine Schritte hallten durch die Stille des Hauses.

Den Vertrag konnte er nicht mehr erfüllen, es ging ihm jetzt nur noch darum, die eigene Haut zu retten, sich irgendwie oder irgendwo vor dem höllischen Gerichtsvollzieher zu verstecken.

Gewiß, er konnte sich verwandeln, zum Beispiel in eine Ratte oder einen biederen Schneemann – oder in ein Feld von elektromagnetischen Schwingungen (wodurch er dann allerdings auf allen Fernsehschirmen der Stadt als Bildstörung zu sehen sein würde), aber er wußte genau, daß er damit den Abgesandten seiner Höllischen Exzellenz nicht täuschen konnte. Der würde ihn in jeder Gestalt erkennen.

Ebenso aussichtslos war es, irgendwohin zu fliehen, weit fort, in die Wüste Sahara oder an den Nordpol oder auf die Bergspitzen Tibets, denn räumliche Entfernungen spielten für diesen Besucher überhaupt keine Rolle. Einen Augenblick lang dachte der Zauberer sogar daran, sich im Münster der Stadt hinter dem Altar oder auf dem Turm zu verstecken, aber er verwarf das sofort wieder, denn es schien ihm keineswegs sicher, daß höllische Amtspersonen heutzutage noch irgendwelche Schwierigkeiten haben, dort nach Belieben ein und aus zu gehen.

Irrwitzer eilte durch die Bibliothek, wo in vielen Reihen übereinander uralte Folianten und nagelneue Nachschlagewerke standen. Er überflog die Titel auf den Lederrücken der Bücher. »Abschaffung des Gewissens – ein Lehrgang für Fortgeschrittene« stand da oder »Leitfaden für Brunnenvergiftung« oder »Enzyklopädisches Lexikon der Flüche und Verwünschungen«, aber nichts, was ihm in seiner bedrängten Lage nützen konnte.

Er hastete weiter von Raum zu Raum.

Die Villa Alptraum war ein riesiger, finsterer Kasten, außen voller windschiefer Türmchen und Erker, innen voller verwinkelter Zimmer, krummer Gänge, wackeliger Treppen und spinnwebverhangener Gewölbe – genau so, wie man sich ein richtiges Zauberhaus vorstellt. Irrwitzer selbst hatte einstmals die Pläne zu diesem Haus entworfen, denn in architektonischer Hinsicht war sein Geschmack ganz konservativ. In Stunden guter Laune pflegte er die Villa oft sein »gemütliches kleines Heim« zu nennen. Aber von solchen Scherzen war er im Augenblick weit entfernt.

Er befand sich jetzt in einem langen, finsteren Korridor, an dessen Wänden in hohen Gestellen hunderte und tausende von großen Einmachgläsern standen. Es war die Sammlung, die er Herrn Made hatte zeigen wollen, und die er sein »Naturkundemuseum« nannte. In jedem dieser Gläser befand sich ein gefangenes Elementargeistchen. Da gab es alle Sorten von Zwergen, Heinzelmännchen, Koboldchen und Blumenelfen, daneben Undinen und kleine Nixen mit bunten Fischschwänzchen, Wassermännlein und Sylfen, sogar ein paar Feuergeisterchen, Salamander genannt, die sich in Irrwitzers Kamin versteckt gehalten hatten. Alle Behälter waren säuberlich etikettiert und mit der genauen Bezeichnung des Inhalts und dem Datum des Fangs beschriftet.

Die Wesen saßen vollkommen reglos in ihren Gefängnissen, denn der Zauberer hatte sie unter Dauerhypnose gesetzt. Er pflegte sie nur jeweils aufzuwecken, um seine grausamen Experimente an ihnen zu machen.

Übrigens gab es darunter auch ein besonders scheußliches kleines Monster, ein sogenanntes Büchernörgele, im Volksmund auch Klugscheißerchen oder Korinthenkackerli genannt. Diese kleinen Geister verbringen normalerweise ihr Dasein damit, daß sie an Büchern herumnörgeln. Es ist bisher noch nicht eindeutig erforscht, wozu es solche Wesen überhaupt gibt, und der Zauberer hielt sich dieses nur, um durch längere Beobachtung dahinterzukommen. Er war ziemlich sicher gewesen, daß es sich irgendwie für seine Zwecke verwenden ließ. Aber jetzt interessierte es ihn auch nicht mehr. Nur aus Gewohnheit klopfte er im Vorübergehen mit dem Fingerknöchel da und dort an die Glaswand eines Behälters. Nirgends regte sich etwas.

Schließlich gelangte er zu einem bestimmten kleinen Erkerzimmer, auf dessen Tür stand:

KAMMERSÄNGER MAURIZIO DI MAURO.

Der kleine Raum war mit allem ausgestattet, was eine verwöhnte Katze sich an Luxus nur wünschen kann. Da gab es mehrere alte Polstermöbel, um daran die Krallen zu schärfen; überall lagen Wollknäuel und anderes Spielzeug herum; auf einem niedrigen Tischchen stand ein Teller mit süßer Sahne und mehrere andere mit lauter verschiedenen appetitlichen Häppchen; es gab sogar einen Spiegel in Katzenhöhe, vor dem man sich putzen und dabei selbst bewundern konnte, und als Krönung des Ganzen ein behagliches Körbchen in Gestalt eines kleinen Himmelbetts mit blauen Sammetpolstern und Vorhängen.

In diesem Bettchen lag zusammengerollt ein dicker kleiner Kater und schlief. Das Wort dick ist vielleicht nicht ganz ausreichend, in Wirklichkeit war er kugelrund. Da sein Fell dreifarbig war – rostbraun, schwarz und weiß – sah er eher aus wie ein lächerlich geflecktes, prall ausgestopftes Sofakissen mit vier ziemlich kurzen Beinchen und einem jämmerlichen Schwanz.

Als Maurizio vor etwas mehr als einem Jahr im geheimen Auftrag des Hohen Rates der Tiere hierher gekommen war, war er krank und struppig und so abgemagert gewesen, daß man alle seine Rippen einzeln zählen konnte. Dem Zauberer gegenüber hatte er sich zunächst so gestellt, als sei er ihm einfach zugelaufen, und er war sich dabei sehr schlau vorgekommen. Als er dann aber merkte, daß er nicht nur nicht weggejagt, sondern sogar ausgesprochen verwöhnt wurde, vergaß er sehr schnell seine Mission. Bald war er geradezu begeistert von dem Mann. Er war allerdings ziemlich leicht zu begeistern – hauptsächlich von allem, was ihm schmeichelte und seiner Vorstellung von einer eleganten Lebensweise entsprach.

»Wir Leute aus der vornehmen Welt«, so hatte er dem Zauberer öfters erklärt, »wissen eben, worauf es ankommt. Auch im Elend halten wir das Niveau.«

Das war eines seiner Lieblingswörter, obwohl er selbst

nicht ganz genau wußte, was es eigentlich bedeutete.

Und ein paar Wochen später hatte er dem Zauberer dann folgendes erzählt:

»Vielleicht haben Sie mich anfangs mit einer ganz gewöhnlichen streunenden Katze verwechselt. Ich nehme Ihnen das nicht übel. Wie hätten Sie denn ahnen können, daß ich in Wirklichkeit aus einem uralten Rittergeschlecht stamme. In der Familie di Mauro gab es auch viele berühmte Sänger. Sie werden es mir vielleicht nicht glauben, weil meine Stimme zur Zeit ein wenig brüchig klingt« – tatsächlich klang sie eher nach einem Frosch als nach einem Kater –, »aber auch ich war früher ein berühmter Minnesänger und habe mit meinen Liebesliedern die stolzesten Herzen erweicht. Meine Ahnen stammen nämlich aus Neapel, woher bekanntlich alle wahrhaft großen Sänger stammen. Unser Wappenspruch hieß »Schönheit und Kühnheit«, und einem von beidem hat jeder in meiner Sippe gedient. Aber dann wurde ich krank. Fast alle Katzen in der Gegend, wo ich lebte, wurden plötzlich krank. Jedenfalls diejenigen, die Fisch gegessen hatten. Und vornehme Katzen essen eben am liebsten Fisch. Aber die Fische waren giftig, weil der Fluß, aus dem sie kamen, vergiftet war. Dabei habe ich meine wundervolle Stimme verloren. Die anderen sind fast alle gestorben. Meine ganze Familie ist jetzt beim Großen Kater im Himmel.«

Irrwitzer hatte so getan, als sei er ganz erschüttert von der Sache, obwohl er ja nur zu gut wußte, wieso der Fluß vergiftet war. Er hatte Maurizio schrecklich bedauert und ihn sogar einen »tragischen Helden« genannt; das hatte dem kleinen Kater ganz besonders gut gefallen.

»Wenn du willst und mir vertraust«, waren die Worte des Zauberers gewesen, »dann werde ich dich gesund pflegen und dir deine Stimme wiedergeben. Ich werde eine geeignete Medizin für dich finden. Aber du mußt Geduld haben, es braucht Zeit. Und vor allem mußt du tun, was ich dir sage. Einverstanden?«

Das war Maurizio natürlich. Von diesem Tag an nannte er Irrwitzer nur noch seinen »lieben Maestro«. An den Auftrag des Hohen Rates der Tiere dachte er kaum noch.

Er ahnte natürlich nicht, daß Beelzebub Irrwitzer durch seinen Schwarzen Spiegel und andere magische Informationsmittel längst darüber Bescheid wußte, wozu ihm der Kater ins Haus geschickt worden war. Und der Geheime Zauberrat hatte sofort beschlossen, Maurizios kleine Schwäche auszunützen, um ihn auf eine Art unschädlich zu machen, die ganz bestimmt nicht dessen Verdacht erwecken würde. Der kleine Kater fühlte sich tatsächlich wie im Schlaraffenland. Er aß und schlief und schlief und aß und wurde immer fetter und immer bequemer und war inzwischen selbst zum Mäusefangen zu faul geworden.

Dennoch, niemand kann durch viele Wochen und Monate hindurch ununterbrochen schlafen, nicht mal ein Kater. Und so war Maurizio eben doch hin und wieder aufgestanden und auf seinen kurzen Beinen, mit einem Bäuchlein, das inzwischen fast den Boden berührte, im Haus herumgestreift. Irrwitzer hatte ständig vor ihm auf der Hut sein müssen, um nicht doch bei einer seiner schlimmen Zaubereien von ihm überrascht zu werden. Und das hatte ihn eben in die verzweifelte Lage gebracht, in der er sich jetzt befand.

Nun stand er also vor dem Himmelbettchen und blickte mordlüstern auf die buntscheckige, atmende Fellkugel herunter, die da in den Sammetkissen lag.

»Vermaledeiter Katzenbastard«, flüsterte er, »alles ist deine Schuld!«

Der kleine Kater begann im Schlaf zu schnurren.

»Wenn ich sowieso verloren bin«, murmelte Irrwitzer, »dann will ich mir wenigstens noch das Vergnügen gönnen, dir den Hals umzudrehen.«

Seine langen, knotigen Finger zuckten nach Maurizios Genick, der sich ohne aufzuwachen auf den Rücken drehte, alle Viere von sich streckte und genüßlich seine Kehle darbot.

Der Zauberer wich zurück.

»Nein«, sagte er leise, »es hilft mir nichts, und außerdem – dazu ist immer noch Zeit.«

Kurze Zeit später saß der Zauberer wieder im Labor beim Schein einer Lampe am Tisch und schrieb.

Er hatte beschlossen, sein Testament zu verfassen.

In seiner schnörkeligen und fahrigen Handschrift stand da bereits folgendes auf dem Blatt:

Mein letzter Wille

Im Vollbesitz meiner geistigen Kräfte bestimme ich, Beelzebub Irrwitzer, Geheimer Zauberrat, Professor, Doktor und so weiter ... am heutigen Tage einhundertsiebenundachtzig Jahre, einen Monat und zwei Wochen alt...

Er unterbrach sich und kaute an seinem Füllfederhalter, der Blausäure als Tinte enthielt.

»Wirklich ein schönes Alter«, murmelte er, »aber für meinesgleichen immer noch jung – jedenfalls viel zu jung, um schon zur Hölle zu fahren.«

Seine Tante zum Beispiel, die Hexe, zählte schon fast dreihundert Lenze, aber sie war immer noch beruflich äußerst aktiv.

Er schrak ein wenig zusammen, weil plötzlich der

kleine Kater zu ihm auf den Tisch sprang, gähnte, wobei er seine Zunge zierlich aufrollte, sich ausgiebig vorn und hinten streckte und ein paarmal herzhaft nieste.

»Auweia!« maunzte er. »Was stinkt denn hier so abscheulich?«

Er setzte sich mitten auf das Testament und begann, sich zu putzen.

»Haben der Herr Kammersänger gut geschlafen?« fragte der Zauberer gereizt und schob ihn mit einer unsanften Handbewegung beiseite.

»Ich weiß nicht«, antwortete Maurizio klagend, »ich bin immer so schrecklich müde. Ich weiß auch nicht, warum. Wer war denn inzwischen da?«

»Niemand«, brummte der Zauberer unfreundlich, »störe mich jetzt gefälligst nicht. Ich muß arbeiten, und es ist sehr dringend.«

Maurizio schnupperte in der Luft herum.

»Es riecht aber doch so komisch. Irgendein Fremder war da.«

»Ach was!« sagte Irrwitzer. »Das bildest du dir ein. Und jetzt halte den Mund.«

Der Kater begann, sich das Gesicht mit den Pfoten zu waschen, doch plötzlich unterbrach er sich und schaute den Zauberer groß an.

»Was ist los, lieber Maestro? Sie sehen so schrecklich deprimiert aus.«

Irrwitzer winkte nervös ab.

»Nichts ist los. Und nun laß mich endlich in Ruhe, verstanden?«

Aber das tat Maurizio nicht. Im Gegenteil, er setzte sich von neuem auf das Testament, rieb seinen Kopf an der Hand des Zauberers und schnurrte leise.

»Ich kann mir schon denken, warum Sie traurig sind, Maestro. Heute, am Sylvesterabend, wo alle Welt in fröhlicher Gesellschaft feiert, sitzen Sie hier mutterseelenallein und verlassen da. Sie tun mir so leid.«

»Ich bin nicht alle Welt«, knurrte Irrwitzer.

»Das stimmt«, pflichtete der kleine Kater bei. »Sie sind ein Genie und ein großer Wohltäter von Mensch und Tier. Und die wahrhaft Großen sind immer einsam. Ich weiß das schließlich. Aber wollen Sie nicht vielleicht doch ausnahmsweise ein bißchen ausgehen und sich amüsieren? Es würde Ihnen bestimmt einmal gut tun.«

»Eine typische Kateridee«, antwortete der Zauberer immer gereizter. »Ich mag keine fröhliche Gesellschaft.«

»Aber Maestro«, fuhr Maurizio eifrig fort, »heißt es denn nicht, geteilte Freude sei doppelte Freude?«

Irrwitzer schlug mit der Hand auf den Tisch.

»Es ist wissenschaftlich erwiesen«, sagte er scharf, »daß der Teil von etwas immer weniger ist als das Ganze. Ich teile mit niemandem, merk dir das!«

»Schon gut«, antwortete der Kater erschrocken. Und dann setzte er in schmeichelndem Ton hinzu: »Schließlich haben Sie ja mich.«

»Ja«, grollte der Zauberer, »du hast mir gerade noch gefehlt.«

»Wirklich?« fragte Maurizio erfreut. »Habe ich Ihnen gefehlt?«

Irrwitzer schnaubte ungeduldig.

»Verschwinde jetzt endlich! Hau ab! Geh in dein Zimmer! Ich muß nachdenken. Ich habe Sorgen.«

»Kann ich Ihnen vielleicht irgendwie behilflich sein, lieber Maestro?« erkundigte sich der kleine Kater diensteifrig.

Der Zauberer stöhnte und verdrehte die Augen.

»Also meinetwegen«, seufzte er dann, »wenn du unbedingt willst, dann rühre die Essenz Nummer 92 um, dort im Kessel über dem Kaminfeuer. Aber gib acht, daß du dabei nicht wieder einpennst und wer weiß was passiert.«

Maurizio sprang vom Tisch, hoppelte auf seinen kurzen Beinen zum Kamin und ergriff mit den Vorderpfoten den Bergkristallstab.

»Sicher ein sehr wichtiges Heilmittel«, vermutete er, während er behutsam umzurühren begann. »Ist es vielleicht die Medizin für meine Stimme, nach der Sie schon so lang forschen?«

»Wirst du jetzt endlich gefälligst den Mund halten!« fuhr ihn der Zauberer an.

»Jawohl, Maestro«, antwortete Maurizio folgsam.

Längere Zeit war es still, nur das Pfeifen des Schneesturms ums Haus war zu hören.

»Maestro«, ließ sich schließlich wieder der kleine Kater fast flüsternd vernehmen, »Maestro, ich hab etwas auf dem Herzen.«

Da Irrwitzer nicht antwortete, sondern nur mit einer erschöpften Gebärde den Kopf in die Hand stützte, fuhr er etwas lauter fort: »Ich muß Ihnen etwas gestehen, das schon seit langem mein Gewissen bedrückt.«

»Gewissen...«, Irrwitzer verzog den Mund, »sieh mal einer an, sogar Kater haben sowas.«

»Oh, sogar sehr«, versicherte Maurizio ernsthaft, »nicht alle vielleicht, aber ich schon. Schließlich bin ich aus altem Ritteradel.«

Der Zauberer lehnte sich zurück und schloß mit leidendem Gesichtsausdruck die Augen.

»Es ist nämlich so«, erklärte Maurizio stockend, »ich bin nicht der, als der ich erscheine.«

»Wer ist das schon«, sagte Irrwitzer zweideutig.

Der Kater fuhr fort, umzurühren. Er starrte in die schwarze Brühe.

»Ich habe Ihnen all die Zeit, die ich hier bin, etwas verschwiegen, Maestro. Und dafür schäme ich mich jetzt schrecklich. Deshalb habe ich beschlossen, Ihnen an diesem heutigen, besonderen Abend alles zu gestehen.«

Der Zauberer schlug die Augen auf und musterte Maurizio durch seine dicken Brillengläser. Um seine Lippen zuckte es spöttisch, aber das bemerkte der kleine Kater nicht.

»Sie wissen ja besser als jeder andere, Maestro, daß überall auf der Welt etwas Schlimmes vorgeht. Immer mehr Geschöpfe werden krank, immer mehr Bäume sterben, immer mehr Gewässer sind vergiftet. Deshalb haben wir Tiere vor längerer Zeit eine große Versammlung einberufen, geheim natürlich, und dabei wurde beschlossen, herauszufinden, von wem oder was all dieses Elend verursacht wird. Dazu hat unser Hoher Rat überallhin Geheimagenten ausgeschickt, die beobachten sollten, was eigentlich geschieht. Und so bin ich zu Ihnen gekommen, lieber Maestro – um Sie auszuspionieren.«

Er machte eine Pause und blickte den Zauberer aus großen, glühenden Augen an.

»Glauben Sie mir«, fuhr er dann fort, »es ist mir sehr schwer gefallen, Maestro, denn diese Tätigkeit entspricht nicht meiner vornehmen Gesinnung. Ich habe es getan, weil ich es tun mußte. Es war meine Pflicht gegenüber den anderen Tieren.«

Wieder machte er eine Pause und fügte dann etwas kleinlaut hinzu: »Sind Sie mir jetzt sehr böse?«

»Vergiß nicht umzurühren!« sagte der Zauberer, der trotz seiner finsteren Stimmung Mühe hatte, ein Kichern zu unterdrücken.

»Können Sie mir verzeihen, Maestro?«

»Schon gut, Maurizio, ich verzeihe dir. Schwamm drüber!«

»Oh«, hauchte der kleine Kater ergriffen, »was für ein edles Herz! Sowie ich wieder gesund und nicht mehr so müde bin, werde ich mich zum Hohen Rat der Tiere schleppen und dort berichten, was Sie für eine Seele von einem Menschen sind. Das verspreche ich Ihnen feierlich zum neuen Jahr.«

Diese letzte Erwähnung ließ den Zauberer schlagartig wieder in üble Laune versinken.

»Laß den rührseligen Quatsch!« stieß er heiser hervor. »Du gehst mir auf die Nerven damit.«

Maurizio schwieg verdattert. Er konnte sich seines

Maestros plötzliche Unfreundlichkeit absolut nicht erklären.

In diesem Augenblick klopfte es.

Der Zauberer richtete sich kerzengerade auf.

Es klopfte zum zweiten Mal, laut und deutlich.

Maurizio hatte zu rühren aufgehört und bemerkte einfältig: »Ich glaube, Maestro, es hat geklopft.«

»Pst!« zischte der. »Still!«

Der Wind rüttelte an den Fensterläden.

»Nicht jetzt schon!« knirschte Irrwitzer. »Bei allen chemischen Keulen, das ist unfair!«

Es klopfte zum dritten Mal, nun schon ziemlich ungeduldig.

Der Zauberer hielt sich mit beiden Händen die Ohren zu.

»Man soll mich in Ruhe lassen. Ich bin nicht da.«

Das Pochen wurde zu einem Hämmern, und man hörte durch das Sturmsausen draußen undeutlich eine krächzende Stimme, die ziemlich erbost klang.

»Maurizio«, raunte der Zauberer, »liebes Käterchen, wärst du wohl so freundlich aufzumachen und zu sagen, ich sei ganz plötzlich verreist. Sag einfach, ich sei zu meiner alten Tante Tyrannja Vamperl gefahren, um mit ihr Sylvester zu feiern.«

»Aber Maestro«, sagte der Kater verwundert, »das wäre doch eine glatte Lüge. Verlangen Sie das wirklich von mir?«

Der Zauberer drehte die Augen gen Himmel und stöhnte.

»Ich kann es ja schließlich nicht gut selber sagen.«

»Schon gut, Maestro, schon gut. Für Sie mache ich alles.«

Maurizio hoppelte zur Haustür, schob unter Aufbietung all seiner schwachen Kräfte einen Hocker unter die Klinke, kletterte hinauf, drehte den riesigen Schlüssel herum, bis das Schloß aufsprang, und hängte sich an die Klinke. Ein Windstoß riß die Tür auf und fauchte durch die Räume, daß die Papiere im Labor herumwirbelten und die grünen Flammen im Kamin sich waagrecht legten.

Aber da war niemand.

Der Kater machte ein paar vorsichtige Schritte vor die Tür, spähte nach allen Seiten in die Dunkelheit, kam wieder herein und schüttelte sich den Schnee aus dem Pelz.

»Nichts«, sagte er, »es muß ein Irrtum gewesen sein. Wo sind Sie denn, Maestro?«

Irrwitzer tauchte hinter dem Ohrenbackensessel auf.

»Wirklich niemand?« fragte er.

»Bestimmt nicht«, versicherte Maurizio.

Der Zauberer rannte auf den Flur hinaus, schlug die Haustür krachend zu und sperrte mehrfach ab. Dann kam er wieder herein, warf sich in seinen Sessel und jammerte: »Sie können's nicht erwarten. Sie wollen mich jetzt schon in den Wahnsinn treiben.«

»Wer?« fragte Maurizio verwundert.

Da klopfte es wieder und diesmal klang es geradezu rabiat.

Irrwitzers Gesicht verzerrte sich zu einer Fratze, die Angst und Wut gleichzeitig ausdrückte. Es war kein schöner Anblick.

»Mit mir nicht!« stieß er hervor. »Nein, nicht mit mir! Das wollen wir doch mal sehen.«

Er schlich auf den Flur hinaus, der kleine Kater schlich eifrig mit.

Der Zauberer trug an seiner linken Hand einen Ring, den ein großer Rubin zierte. Selbstverständlich handelte es sich um einen magischen Stein; er konnte Licht in ungeheurer Menge aufschlucken und speichern. Wenn er richtig aufgeladen war, stellte er eine vernichtende Waffe dar.

Irrwitzer hob langsam die Hand, kniff ein Auge zu, zielte – und ein fadendünner, roter Laserstrahl zischte durch den Korridor und hinterließ in der dicken Haustür einen nadelfeinen, rauchenden Einschlag. Der Zauberer schoß ein zweites Mal und ein drittes und immer wieder und wieder, bis die massiven Holzbohlen völlig durchsiebt waren und die Energie des Rubins sich erschöpft hatte.

»So, das war's dann wohl«, sagte er und atmete tief durch, »jetzt ist es still.«

Er ging ins Labor zurück und setzte sich wieder an den Tisch, um weiterzuschreiben.

»Aber Maestro«, stammelte der kleine Kater ganz entsetzt, »wenn Sie nun da draußen jemanden getroffen haben ...?«

»Dann geschieht es ihm recht«, knurrte Irrwitzer. »Was treibt er sich vor meinem Haus herum.«

»Aber Sie wissen doch überhaupt nicht, wer es war! Vielleicht war es ja ein Freund von Ihnen.«

»Ich habe keine Freunde.«

»Oder jemand, der Ihre Hilfe braucht.«

Der Zauberer stieß ein kurzes, freudloses Lachen aus.

»Du kennst die Welt nicht, mein Kleiner. Wer zuerst schießt, schießt am besten. Merk dir das.«

Da klopfte es abermals.

Irrwitzer malmte nur noch stumm mit den Kinnbacken.

»Das Fenster!« rief Maurizio. »Ich glaube, Maestro, es ist am Fenster.«

Er sprang auf das Sims, öffnete einen Flügel und lugte durch einen Spalt des Fensterladens hinaus.

»Da sitzt jemand«, raunte er, »es scheint ein Vogel zu sein, so eine Art Rabe, glaube ich.«

Irrwitzer sagte noch immer nichts. Er hob nur abwehrend die Hände.

»Vielleicht geht es um einen Notfall«, meinte der kleine Kater. Und ohne auf die Anweisung des Zauberers zu warten, stieß er den Fensterladen auf.

Zusammen mit einer Schneewolke flatterte ein Vogel ins Labor, der so zerrupft aussah, daß er eher einer großen, unförmigen Kartoffel glich, in die jemand kreuz und quer ein paar schwarze Federn gesteckt hat.

Er landete mitten auf dem Boden, rutschte auf seinen dünnen Beinen noch ein Stück weiter, ehe er zum Halten kam, plusterte sein kümmerliches Gefieder und sperrte seinen ansehnlichen Schnabel auf.

»Aber! Aber! Aber!« kreischte er mit eindrucksvoller Lautstärke. »Ihr laßt euch aber vielleicht Zeit, bis ihr aufmacht. Da kann sich eins ja den Tod holen. Und geschossen wird auch noch auf einen. Da, bitte schön – meine letzte Schwanzfeder ist jetzt auch hin, durchlöchert. Is' das vielleicht eine Art? Wo sind wir denn?«

Dann wurde er sich plötzlich bewußt, daß da ein Kater war, der ihn mit großen glühenden Augen ansah. Er zog den Kopf zwischen die Flügel, wodurch er irgendwie bucklig wirkte, und krächzte nur noch kleinlaut: »Uijeh, ein Vogelfresser! Das auch noch! Na, ich dank' schön, das wird böse enden.«

Maurizio, der in seinem kurzen Leben bisher noch keinen einzigen Vogel gefangen hatte – schon gar nicht einen so großen und unheimlichen – begriff zunächst überhaupt nicht, daß er gemeint war.

»Hallo!« maunzte er würdevoll. »Willkommen, Fremdling!«

Der Zauberer starrte das seltsame Federvieh noch immer wortlos und voller Mißtrauen an.

Der Rabe fühlte sich zunehmend unbehaglicher. Er blickte mit schiefem Kopf zwischen Kater und Zauberer hin und her und schnarrte endlich:

»Wenn's euch nix ausmacht, Herrschaften, dann wär' ich dafür, daß einer das Fenster wieder zumacht, weil es kommt nämlich keiner mehr hinter mir nach, aber es zieht saumäßig und ich hab' im linken Flügel sowieso schon den Reißmatissimus oder wie das heißt.«

Der Kater schloß das Fenster, sprang vom Sims und begann, in einem großen Kreis um den Eindringling herumzuschleichen. Er wollte nur sehen, ob dem Raben etwas fehlte, doch der schien Maurizios Interesse anders aufzufassen.

Irrwitzer hatte inzwischen die Sprache wiedergefunden.

»Maurizio«, befahl er, »frage diesen Galgenvogel, wer er ist und was er hier zu suchen hat.«

»Mein guter Maestro will wissen«, sagte der Kater in möglichst vornehmem Ton, »welchen Namen du trägst und was dein Begehr ist.«

Dabei wurden seine Kreise immer enger.

Der Vogel drehte den Kopf mit und ließ Maurizio nicht aus den Augen.

»Sag deinem Maestro einen schönen Gruß von mir« – dabei zwinkerte er dem Kater verzweifelt mit einem Auge zu – »und mein werter Name is' Jakob Krakel, wenn's recht wär', und ich bin sozusagen der luftige Laufbursch von Madam Tyrannja Vamperl, seiner hochverehrten Tante« – dabei zwinkerte er mit dem anderen Auge – »und außerdem bin ich durchaus kein Galgenvogel nicht, wenn's beliebt, sondern ein alter, vom Leben hart geprüfter Rabe, man kann schon direkt sagen, ein Unglücksrabe, kann man sagen.«

»Sieh an, ein Rabe!« sagte Irrwitzer höhnisch. »Das mußt du allerdings dazusagen, sonst erkennt man's nicht.«

»Ha ha, sehr witzig«, schnarrte Jakob Krakel halblaut in sich hinein.

»Unglück?« erkundigte sich Maurizio teilnahmsvoll. »Von welchem Unglück redest du? Sprich ohne Scheu, mein guter Maestro wird dir helfen.«

»Ich red' vom Pech, wo ich immer hab'«, erklärte Jakob düster, »zum Beispiel, daß ich hier jetzt ausgerechnet einen mordsmäßigen Vogelfresser treffen muß; und die Federn sind mir ausgegangen, wie ich seinerzeit in eine Giftwolke hineingeraten bin. Die gibt's ja in letzter Zeit immer öfter, warum weiß keiner nicht.« Wieder zwinkerte er dem Kater zu. »Und deinem guten Maestro kannst du von mir ausrichten, er braucht mich ja nicht anzuschauen, wenn ihm meine lumpige Garderobe was ausmacht. Ich hab' halt keine bessere nicht mehr.«

Maurizio blickte zu Irrwitzer empor.
»Sehen Sie, Maestro, also doch ein Notfall.«
»Frage diesen Raben einmal«, sagte der Zauberer, »warum er dir mehrmals heimlich zugezwinkert hat.«
Jakob Krakel kam dem Kater zuvor.
»Das is' unabsichtlich, Herr Zauberrat, das bedeutet gar nix. Es sind bloß die Nerven.«
»So so«, meinte Irrwitzer gedehnt, »und warum sind wir denn so nervös?«
»Weil ich was gegen solche aufgeblasenen Typen hab', die wo so geschwollen daherreden und so scharfe Krallen haben und zwei so Schlußlichter im Gesicht wie der da.«
Maurizio dämmerte es nun doch, daß er da eben beleidigt worden war. Das konnte er natürlich nicht auf sich sitzen lassen. Er gab sich ein möglichst imponierendes Aussehen, sträubte sein Fell, legte die Ohren zurück und fauchte: »Maestro, erlauben Sie mir, daß ich diesen unverschämten Schandschnabel rupfe?«
Der Zauberer nahm den Kater auf den Schoß und streichelte ihn.
»Noch nicht, mein kleiner Held. Beruhige dich. Er sagt doch, daß er von meiner hochverehrten Tante kommt. Wir wollen hören, was er zu sagen hat. Ich frage mich nur, ob man ihm überhaupt irgend etwas glauben kann. Was meinst du?«
»Manieren hat er jedenfalls nicht«, schnurrte Maurizio.
Der Rabe ließ die Flügel hängen und krächzte wütend: »Ach pickt mich doch am Bürzel, alle beide!«

»Man muß sich wundern«, sagte Irrwitzer und fuhr fort, den Kater zu kraulen, »man muß sich wirklich wundern, mit was für ordinärem Personal mein bisher so feines Tantchen sich neuerdings umgibt.«

»Was?!« kreischte der Rabe. »Jetzt haut's mir aber doch gleich den Stopsel hinaus! Wer is' hier ordinär? Das is' doch kein Spaß nicht, wenn einer in meinem Zustand durch Nacht und Sturm flattert, um seine Chefin anzumelden, und dann kommt er grad zum Abendessen recht, aber nicht, wo er was zum Schnabeln kriegt, sondern wo er selber auf der Speisekarte steht. Da möcht' ich schon recht hörbar fragen, wer hier vielleicht ordinär is'.«

»Was sagst du da, Rabe?« fragte Irrwitzer alarmiert. »Tante Tyrannja will herkommen? Wann denn?«

Jakob Krakel war immer noch wütend und hopste auf dem Boden herum.

»Jetzt! Sofort! Sogleich! Augenblicklich! Jeden Moment! Sie is' schon fast da!«

Irrwitzer sank in seinen Sessel zurück und stöhnte: »Ach, du dicke Warze! Auch das noch!«

Der Rabe beobachtete ihn mit schiefem Kopf und schnarrte befriedigt vor sich hin: »Aha, eine Unglücksbotschaft, scheint's. Das is' typisch für mich.«

»Ich habe Tante Tyti seit einem halben Jahrhundert nicht mehr persönlich zu Gesicht bekommen«, jammerte der Zauberer. »Was will sie denn so plötzlich hier? Gerade heute kommt sie mir sehr ungelegen.«

Der Rabe zuckte die Flügel.

»Sie sagt, sie muß unbedingt den heutigen Sylvesterabend mit ihrem heißgeliebten Neffen verbringen, sagt sie, weil der Neffe, sagt sie, irgendsoein besonderes Rezept hat, für einen Punsch oder sowas, sagt sie, das wo ihr selbst dringend fehlen tut, hat sie gesagt.«

Irrwitzer schubste den Kater von seinem Schoß und sprang auf.

»Sie weiß alles«, stieß er hervor, »bei allen teuflischen Tumoren, sie will nur meine Lage ausnützen. Unter der Maske verwandtschaftlicher Gefühle will sie sich bei mir einschleichen, um geistigen Diebstahl zu verüben. Ich kenne sie, oh, ich kenne sie!«

Danach stieß er einen ellenlangen babylonischen oder altägyptischen Fluch aus, woraufhin alle Glasgeräte im Raum zu klirren und zu tönen anfingen und ein Dutzend Kugelblitze im Zickzack über den Boden zischten.

Maurizio, der seinen Maestro bisher von dieser Seite noch nicht erlebt hatte, erschrak so, daß er sich mit einem Riesensatz auf den Kopf eines ausgestopften Haifischs rettete, der unter anderen präparierten Trophäen an einer der Wände hing.

Zu seinem neuerlichen Entsetzen mußte er dort feststellen, daß der Rabe das gleiche getan hatte und daß sie sich, ohne es zu bemerken, gegenseitig umklammert hielten. Peinlich berührt ließen sich beide sofort wieder los.

Der Geheime Zauberrat suchte mit bebenden Händen zwischen den Bergen von Papier auf seinem Schreibtisch herum, warf alles durcheinander und

brüllte: »Beim sauren Regen, sie soll keine Kommastelle von meinen kostbaren Berechnungen erfahren! Diese heimtückische Hyäne glaubt wohl, jetzt könne sie meine Forschungsergebnisse *umsonst* bekommen. Aber da hat sie sich geschnitten! Nichts soll sie erben, gar nichts! Ich werde die Akten mit den wichtigsten Formeln unverzüglich in meinem absolut zaubersicheren Geheimkeller einlagern. Nie wird sie dort hineinkommen, sie nicht und auch kein anderer.«

Er wollte schon fortrennen, bremste sich aber noch einmal ab und suchte mit wilden Augen im Labor herum.

»Maurizio, zum Pestizid nochmal, wo steckst du?«

»Hier, Maestro«, antwortete Maurizio vom Haifischkopf herunter.

»Hör zu«, rief der Zauberer zu ihm hinauf, »solange ich weg bin, bewachst du mir scharf dieses impertinente Rabenaas da, verstanden! Aber schlaf nicht wieder ein. Gib acht, daß er seinen Schnabel nicht in Sachen steckt, die ihn nichts angehen. Am besten bringst du ihn in deine Kammer und setzt dich vor die Tür. Trau ihm auf keinen Fall, laß dich auf keine Gespräche und keine Anbiederungsversuche ein. Du bist mir verantwortlich.«

Er hastete davon und sein giftgrüner Schlafrock flatterte hinter ihm drein.

Die beiden Tiere saßen sich allein gegenüber.

Der Rabe schaute den Kater an, und der Kater schaute den Raben an.

»Na?« fragte Jakob nach einer Weile.

»Was – na?« fauchte Maurizio.

Der Rabe zwinkerte wieder.

»Hast du denn wirklich nix kapiert, Kollege?«

Maurizio war verwirrt, wollte das aber auf keinen Fall zugeben, darum sagte er: »Halt deinen großen Schnabel! Wir sollen nicht schwätzen, hat mein Maestro befohlen.«

»Aber jetzt is' er doch weg«, schnarrte Jakob, »jetzt können wir doch offen reden, Kollege.«

»Keine Anbiederungsversuche!« antwortete Maurizio streng. »Gib dir keine Mühe. Du bist dreist und hast kein Niveau. Ich mag dich nicht.«

»Mich mag sowieso niemand, da bin ich dran gewöhnt«, antwortete Jakob. »Aber trotzdem müssen wir jetzt zusammenhelfen, wir zwei. Das is' doch unsere Aufgabe.«

»Sei still!« knurrte der kleine Kater aus der Kehle und versuchte, so gefährlich wie möglich auszusehen. »Wir gehen jetzt in mein Zimmer. Spring runter – und mach ja keinen Fluchtversuch! Los!«

Jakob Krakel schaute Maurizio kopfschüttelnd an und fragte: »Bist du so blöd oder tust du nur so?«

Maurizio wußte nicht, wie er sich verhalten sollte. Seit er mit dem Raben allein war, kam dieser ihm plötzlich viel größer vor und sein Schnabel wirkte viel schärfer und gefährlicher. Unwillkürlich machte er einen hohen Buckel und sträubte seinen Schnurrbart. Dem armen Jakob, der das für eine ernste Drohung hielt, schlug das Herz bis zum Hals. Gehorsam flatterte er auf den Boden hinunter. Der kleine Kater, selbst ganz überrascht von dieser Wirkung, sprang dem Raben nach.

»Tu mir nix, ich tu dir auch nix«, gackste Jakob und duckte sich.

Maurizio kam sich großartig vor.

»Vorwärts, Fremdling!« befahl er.

»Na, gut' Nacht!« schnarrte Jakob ergeben. »Ich wollt', ich wär' bei meiner Klara im Nest geblieben.«

»Wer ist Klara?«

»Ach«, sagte Jakob, »bloß meine arme Frau.«

Und er stakste auf seinen dünnen Beinen los, der Kater folgte ihm.

Als sie in dem langen, dunklen Korridor mit den vielen Einmachgläsern angekommen waren, fragte Maurizio, der inzwischen nachgedacht hatte: »Wieso sagst du überhaupt dauernd Kollege zu mir?«

»Heiliger Galgenstrick, weil wir's doch sind«, antwortete Jakob, »oder wenigstens waren wir's mal, hab' ich gemeint.«

»Ein Kater und ein Vogel«, erklärte Maurizio stolz, »sind niemals Kollegen. Bilde dir nur nichts ein, Rabe. Kater und Vögel sind natürliche Feinde.«

»Natürlich«, bestätigte Jakob. »Ich mein', natürlich wär' das eigentlich natürlich. Aber natürlich nur dann, wenn die Lage natürlich is'. In unnatürlichen Lagen sind natürliche Feinde manchmal Kollegen.«

»Halt ein!« sagte Maurizio. »Das habe ich nicht verstanden. Drück dich deutlicher aus.«

Jakob blieb stehen und drehte sich um.

»Du bist doch auch als Geheimagent hier, um deinen Maestro zu beobachten, oder vielleicht nicht?«

»Wieso?« fragte Maurizio, jetzt vollends verwirrt. »Du etwa auch? Aber warum schickt der Hohe Rat denn noch einen Agenten hierher?«

»Nein, doch nicht hierher«, antwortete Jakob, »ich mein', nicht mich. Ah, du machst mich noch ganz konfuselig im Kopf mit deiner langen Leitung. Also: Ich bin Spion bei meiner Madam Hexe, so wie du bei deinem Musjö Zauberer. Hast du jetzt endlich den Wurm geschluckt?«

Maurizio setzte sich vor Erstaunen.

»Ist das ehrlich so?«

»So ehrlich, wie ich ein Pechvogel bin«, seufzte Jakob. »Hättest du übrigens was dagegen, wenn ich mich mal kratze? Mich juckt's schon die ganze Zeit.«

»Aber bitte sehr!« erwiderte Maurizio mit einer großzügigen Pfotenbewegung. »Wo wir doch Kollegen sind.«

Er legte seinen Schwanz elegant um sich herum und sah zu, wie Jakob sich ausgiebig mit einer Kralle am Kopf kratzte.

Er fand diesen alten Raben auf einmal ungemein sympathisch.

»Warum hast du dich denn nicht gleich von Anfang an zu erkennen gegeben?«

»Hab' ich doch«, schnarrte Jakob. »Ich hab' dir doch dauernd zugezwinkert.«

»Ach so!« rief Maurizio. »Aber das hättest du doch ruhig laut sagen können.«

Jetzt war Jakob an der Reihe, nichts mehr zu verstehen.

»Laut sagen?« krächzte er. »Damit dein Chef alles hört? Du bist ja gelungen.«

»Mein Maestro weiß sowieso alles.«

»Was?!« schnappte der Rabe. »Hat er's rausgekriegt?«

»Nein«, sagte Maurizio, »ich habe ihn in die Sache eingeweiht.«

Dem Raben blieb der Schnabel offen.

»Das darf doch nicht wahr sein«, stieß er schließlich

heraus. »Das pustet mich glatt vom Ast! Sag das nochmal!«

»Ich mußte es einfach tun«, erklärte Maurizio mit wichtiger Miene. »Es wäre nicht ritterlich gewesen, ihn noch länger zu hintergehen. Ich habe ihn lange beobachtet und geprüft, und ich habe festgestellt, er ist ein edler Mensch und ein wahres Genie und unseres Vertrauens würdig. Obwohl er sich heute ein bißchen komisch benimmt, das gebe ich zu. Aber mich jedenfalls hat er die ganze Zeit behandelt wie einen Prinzen. Und das zeigt doch, was für ein gütiger Mann und Wohltäter der Tiere er ist.«

Jakob starrte Maurizio bestürzt an.

»Das gibt's nicht! So dämlich kann ein einzelner Kater nicht sein. Vielleicht zwei oder drei zusammen, aber nicht einer allein. Jetzt hast du alles verpatzt, mein Junge, jetzt is' es aus, jetzt wird der ganze Plan der Tiere ein böses Ende nehmen, ein bitterböses sogar. Ich hab's ja kommen sehen, ich hab's von Anfang an kommen sehen!«

»Du kennst meinen Maestro doch überhaupt nicht«, maunzte der Kater beleidigt, »er ist sonst ganz anders als heute.«

»Zu dir vielleicht!« kreischte Jakob. »Er hat dich total eingewickelt – und zwar in Fett, wie man sieht.«

»Wofür hältst du dich?« fauchte Maurizio, jetzt ernstlich wütend. »Wieso weißt du alles besser als ich?«

»Ja hast du denn keine Augen im Kopf?« schrie Jakob. »Da schau dich doch bloß mal um hier! Was glaubst du denn, was *das da* is'?«

Und er wies mit ausgestrecktem Flügel auf die Regale mit den zahllosen Einmachgläsern.

»Das? Das ist eine Krankenstation«, antwortete Maurizio. »Das hat der Maestro mir selbst gesagt. Er versucht, die armen Gnome und Elfen zu heilen. Was weißt du denn davon!«

»Was ich weiß?« Jakob Krakel geriet immer mehr außer sich. »Soll ich dir sagen, was das is'? Ein Gefängnis is' das! Eine Folterkammer is' das! Dein guter Maestro is' in Wahrheit einer von den Allerschlimmsten, die es überhaupt auf der Welt gibt, das is' er! So sieht's aus, du Einfaltspinsel! Ha – ein Schönie! Ein Wohltäter! Ja, Keuchhusten! Weißt du, was der kann? Die Luft verpesten, das kann er. Das Wasser vergiften, Mensch und Tier krank machen, Wälder und Felder zerstören – darin is' er ganz groß, dein Maestro, sonst in nix!«

Maurizio rang nach Luft vor Empörung.

»Das ... das ... nimm das sofort zurück, du Verleumder, sonst ... sonst ...«

Sein Fell sträubte sich so, daß er noch einmal so dick aussah, wie er sowieso schon war.

»Ich dulde nicht, daß du diesen großen Mann beleidigst. Entschuldige dich, sonst bringe ich dir Respekt bei, du Galgenvogel!«

Aber Jakob war jetzt in voller Fahrt und nicht mehr zu bremsen.

»Komm nur her, du!« krakeelte er. »Du fettes Muttersöhnchen, du schlapper Wohlstandssack! Du bist für gar nix gut, außer mit Wollknäulchen spielen und auf dem

Sofa herumflezen! Hau bloß ab, du Tellerlecker, sonst mach' ich ein Päckchen aus dir und schick' dich heim zu deiner niedlichen Schmusekätzchenfamilie!«

Maurizios Augen begannen in wildem Feuer zu glühen.

»Ich stamme aus einem uralten neapolitanischen Rittergeschlecht. Meine Ahnen gehen bis auf Mioderich den Großen zurück. Ich lasse meine Familie nicht beleidigen! Schon gar nicht von einem dahergelaufenen Gauner wie dir!«

»Ha ha!« kreischte Jakob. »Da haben halt deine Vorfahren allen Grips für sich verbraucht und für dich keinen mehr übriggelassen.«

Maurizio zückte seine Krallen.

»Weißt du überhaupt, mit wem du redest, du elender Flederwisch? Du hast einen großen Künstler vor dir. Ich bin ein berühmter Minnesänger und habe die stolzesten Herzen erweicht, ehe ich meine Stimme verlor.«

Der alte Rabe stieß ein impertinentes Gelächter aus.

»Das glaub' ich gern, daß du ein Mini-Sänger bist mit deiner Mini-Statur und deinem Mini-Hirn. Blas dich bloß nicht so auf, du geschwollene Flaschenbürste!«

»Ungebildeter Banause«, fauchte Maurizio in tiefster Verachtung, »du weißt ja noch nicht einmal, was ein Minnesänger überhaupt ist. Und deine Ausdrücke hast du aus der Gosse, du elender Strolch!«

»Is' mir schnurzpiepegal«, schrie Jakob zurück, »ich red', wie mir der Schnabel gewachsen is', weil ich nämlich einen hab', aber du nicht, du lausiger Katzenbaron ...«

Und ganz plötzlich, ohne daß sie beide recht wußten, wie es gekommen war und wer angefangen hatte, waren sie ein einziges Bündel aus Fell und Federn, das auf dem Boden herumrollte. Sie balgten sich, daß die Fetzen flogen. Der Kater biß und kratzte und der Rabe hackte und zwickte. Aber da sie ziemlich gleich groß und stark waren, konnte keiner die Oberhand gewinnen. Manchmal floh der eine und der andere verfolgte ihn, und dann war es wieder umgekehrt. Unversehens waren sie auf diese Weise ins Labor zurückgekehrt. Jakob hatte sich in Maurizios Schwanz verbissen, und das tat dem kleinen Kater elendiglich weh, zugleich aber hatte Maurizio den

Raben in den Schwitzkasten genommen, so daß dem langsam die Luft ausging.

»Ergib dich«, stieß Maurizio hervor, »oder du bist des Todes!«

»Ergib du dich zuerst«, keuchte Jakob, »sonst zwick ich dir den Schwanz ab!«

Und dann ließen sie sich beide gleichzeitig los und saßen außer Puste voreinander.

Der kleine Kater versuchte mit Tränen in den Augen, seinen Schwanz wieder grade zu biegen, der jetzt überhaupt nicht mehr elegant aussah, sondern eine Zickzackform angenommen hatte, und der Rabe betrachtete melancholisch die Federn, die auf dem Boden herumlagen und die er eigentlich durchaus nicht entbehren konnte.

Aber wie es öfters nach solchen Raufereien der Fall ist, fühlten sich beide verhältnismäßig friedfertig und zur Versöhnung bereit. Jakob dachte, daß er zu dem kleinen, dicken Kater nicht gleich so grob hätte sein sollen, und Maurizio überlegte, ob er dem armen, unglücklichen Raben nicht vielleicht ziemlich unrecht getan hatte.

»Verzeih bitte«, maunzte er.

»Tut mir auch leid«, krächzte Jakob.

»Weißt du«, fuhr Maurizio nach einer Weile mit bebender Stimme fort, »ich kann einfach nicht glauben, was du da vorhin gesagt hast. Wie kann denn einer einen großen Katzen-Künstler wie mich so gut behandeln und auf der anderen Seite ein gemeiner Schurke sein? Das gibt es doch nicht.«

»Doch, leider«, antwortete Jakob und nickte bitter, »das gibt es, das gibt es. Er hat dich nämlich überhaupt nicht gut behandelt. Er hat dich nur *gezähmt,* um dich reinzulegen. Meine Chefin, die Madam Tyrannja, hat's mit mir auch probiert. Aber ich hab' mich nicht zähmen lassen. Ich hab' nur so getan, als ob. Aber das hat sie nicht gemerkt. Ich hab' *sie* reingelegt.«

Er lachte listig.

»Jedenfalls hab' ich dadurch ziemlich viel rausgekriegt über sie – und auch über deinen sauberen Maestro. Wo bleibt er eigentlich so lang?«

Beide horchten, aber es war ganz still. Nur der Sturmwind wimmerte und pfiff draußen ums Haus.

Um zu seinem absolut zaubersicheren Geheimkeller zu kommen, mußte Irrwitzer durch ein regelrechtes Labyrinth von unterirdischen Gängen, deren jeder mit mehreren Türen magisch verschlossen war und die sich nur auf reichlich komplizierte Art öffnen und schließen ließen. Es war eine zeitraubende Prozedur.

Jakob rückte nahe an Maurizio heran und flüsterte mit verschwörerischer Stimme: »Also, jetzt hör gut zu, Käterchen. Meine Madam is' nämlich nicht nur die Tante von deinem Maestro, sondern sie bezahlt ihn auch. Er liefert ihr, was sie will, und sie macht dicke Geschäfte mit dem ganzen Giftzeugs, das er auskocht. Sie is' eine Geldhexe, verstehst du?«

»Nein«, sagte Maurizio, »was ist eine Geldhexe?«

»Ganz genau weiß ich's auch nicht«, gab Jakob zu. »Sie kann mit Geld zaubern. Sie macht irgendwie, daß es sich von selber vermehrt. Jeder von den beiden is' für sich allein schon schlimm genug, aber wenn Geldhexen und Laborzauberer sich zusammentun – gute Nacht! – dann wird's ehrlich finster auf der Welt.«

Maurizio fühlte sich plötzlich schrecklich müde. Das alles war einfach zu viel für ihn, und er sehnte sich nach seinem Sammetbettchen.

»Wenn du alles schon so genau weißt«, fragte er ein wenig weinerlich, »warum bist du dann nicht schon längst zu unserem Hohen Rat und hast es gemeldet?«

»Ich hab' auf dich gezählt«, antwortete Jakob Krakel düster, »weil – ich hab' bis jetzt keine Beweise, daß die zwei unter einer Decke stecken. Bei den Menschen – ich sag' dir – da is' Geld überhaupt der springende Punkt. Speziell bei solchen wie deinem Maestro und meiner Madam. Für Geld tun sie alles, und mit Geld können sie alles machen. Es is' ihr schlimmstes Zaubermittel, das is' es. Deswegen sind wir Tiere ihnen ja bisher nie auf die Schliche gekommen, weil's sowas bei uns nicht gibt. Ich hab' bloß gewußt, daß beim Irrwitzer auch einer von unseren Agenten sitzt – hab' aber nicht gewußt, wer. Na, hab' ich mir gedacht, mit dem Kollegen zusammen wird's schon endlich klappen mit dem Beweis. Besonders heut' abend.«

»Wieso besonders heute abend?« erkundigte sich Maurizio.

Unvermittelt ließ der Rabe ein langes, unheilschwangeres Krächzen hören, das durch alle Räume hallte und dem kleinen Kater durch Mark und Bein ging.

»Entschuldige«, fuhr Jakob wieder leise fort, »das is' eben so unsere Art, wenn sich wo was zusammenbraut. Weil, wir fühlen sowas nämlich voraus. Ich weiß noch nicht, was die vorhaben, aber ich wette meine letzten Federn, es is' eine ungeheure Menscherei.«

»Eine was?«

»Naja, Schweinerei kann man doch nicht sagen, weil die Schweine, die tun ja nix Böses. Deswegen bin ich doch extra durch Nacht und Sturm hergeflattert. Meine Madam weiß gar nix davon. Ich hab' eben auf dich gezählt. Aber jetzt hast du deinen Maestro ja schon eingeweiht und damit is' sowieso alles Essig. Ich wollt' wirklich, ich wär' bei meiner Amalia im warmen Nest geblieben.«

»Ich dachte, deine Frau heißt Klara?«

»Das is' eine andere«, schnarrte Jakob unwillig, »außerdem geht's jetzt nicht darum, wie meine Frau heißt, sondern daß du alles verpatzt hast.«

Maurizio schaute den Raben verwirrt an.

»Ich glaube, du siehst immer und überall schwarz. Du bist ein Pessimist.«

»Stimmt!« bestätigte Jakob Krakel trocken. »Und deswegen hab' ich fast immer recht. Wollen wir wetten?«

Der kleine Kater machte ein trotziges Gesicht.

»Also gut. Um was?«

»Wenn *du* recht hast, verschluck' ich einen rostigen Nagel, wenn *ich* recht hab', tust du's. Einverstanden?«

Maurizio gab sich Mühe, möglichst lässig zu wirken, trotzdem zitterte seine Stimme ein wenig, als er antwortete: »Top! Die Wette gilt.«

Jakob Krakel nickte und begann unverzüglich, das Labor zu inspizieren. Maurizio lief neben ihm her.

»Suchst du jetzt schon den Nagel?«

»Nein«, antwortete der Rabe, »ein passendes Versteck für uns.«

»Wozu denn?«

»Na, weil wir die Herrschaften doch heimlich belauschen müssen.«

Der kleine Kater blieb stehen und sagte entrüstet: »Nein, sowas mache ich nicht. Das ist unter meinem Niveau.«

»Unter was?« fragte Jakob.

»Ich meine, sowas ist einfach nicht ritterlich. Das tut man nicht. Ich bin doch kein Halunke!«

»Ich schon«, sagte der Rabe.

»Aber man lauscht doch nicht heimlich«, erklärte Maurizio. »Das gehört sich einfach nicht!«

»Was würdest du denn tun?«

»Ich?« – Maurizio überlegte. – »Ich würde den Maestro einfach fragen, geradeheraus, Auge in Auge.«

Der Rabe guckte den Kater von der Seite an und schnarrte: »Brav, Herr Graf! Auge in Auge, das würde ganz schön ins Auge gehen.«

Inzwischen waren sie in einem dunklen Winkel vor einer großen Blechtonne angelangt, deren Deckel offenstand. SONDERMÜLL stand darauf geschrieben.

Die beiden Tiere beäugten die Schrift.

»Kannst du lesen?« fragte Jakob.

»Du etwa nicht?« antwortete Maurizio etwas herablassend.

»Ich hab's nie gelernt«, gab der Rabe zu. »Was steht denn da?«

Maurizio konnte der Versuchung, sich vor dem Raben aufzuspielen, nicht widerstehen.

»Es heißt KÜCHENABFÄLLE oder – ach nein – es heißt BRENNSTOFF – obwohl es eigentlich mehr mit einem Zett anfängt...«

In diesem Augenblick war durch das Sturmsausen draußen ein Geräusch zu vernehmen, das wie das Heulen einer Sirene klang und rasch näherkam.

»Das is' meine Madam«, flüsterte Jakob, »die macht immer solchen Höllenlärm, weil sie meint, das wär' zünftig. Komm, nix wie rein in die Tonne!«

Er flatterte auf den Rand, aber der Kater zögerte noch.

Jetzt hörte man eine schrille Stimme, die aus dem Kamin scholl:

»Tralí, tralá!
Besuch ist da.
Und weißt du wer?
Da schau mal her!«

Zugleich fuhr ein Windstoß jaulend durch den Schornstein herunter, daß die Flammen des grünen Feuers geradezu platt gedrückt wurden und dicke Rauchwolken in den Raum quollen.

»Uijeh!« hustete Jakob Krakel. »Da is' sie schon. Schnell, Käterchen, eil' dich doch!«

Die Stimme aus dem Kamin kam näher und näher. Es klang, als kreische jemand durch ein langes Rohr.

»Geschäfte! Geschäfte!
Durch finstere Kräfte.
Mach mit! Mach mit!
Profit! Profit!«

Dann war plötzlich ein Ächzen aus dem Schornstein zu hören, und die Stimme murmelte undeutlich: »Moment ... mir scheint ... ich bin steckengeblieben ... na? ... so! ... ja, jetzt geht's weiter.«

Der Rabe hopste auf dem Tonnenrand herum und krächzte: »Nun komm schon endlich! Los! Hopp!«

Der kleine Kater sprang zu ihm hinauf, der Rabe schubste ihn mit dem Schnabel hinein und folgte dann selbst. Im letzten Augenblick gelang es ihnen mit vereinten Kräften, den Klappdeckel zu schließen.

Die schrille Stimme aus dem Kamin war jetzt ganz nah.

»Was kost' die Welt?
Viel Geld! Viel Geld!
Beim Ausverkauf
geht alles drauf,
doch wir sind reich,
bitte sehr, bitte gleich!
Es zahlt sich aus ...«

Jetzt fiel ein wahrer Hagel von Geldstücken durch den Schornstein herunter, dann tat es im Kamin einen satten Plumps, der Topf mit der Essenz Nummer 92 kippte um, sein Inhalt verzischte in der Glut (vorläufig würde »Muntermanns Diät« also nicht in den Handel kommen) und mitten in den auflodernden Flammen saß Tyrannja Vamperl und quietschte:

»Wo bleibt der Applaus?«

Unter einer Hexe stellen sich die meisten Leute ein runzeliges, dürres altes Weiblein vor, das einen großen Buckel auf dem Rücken schleppt, viele borstige Warzen im Gesicht und nur einen einzigen langen Zahn im Mund hat. Aber heutzutage sehen Hexen meistens ganz anders aus. Tyrannja Vamperl war jedenfalls das genaue Gegenteil von all dem. Zwar war sie verhältnismäßig klein, jedenfalls im Vergleich zu Irrwitzers langer Gestalt, aber dafür war sie unglaublich fett. Sie war buchstäblich so hoch wie breit.

Ihre Garderobe bestand aus einem schwefelgelben Abendkleid mit allerhand schwarzen Streifen, so daß sie wie eine überdimensionale Hornisse aussah. (Schwefelgelb war nämlich *ihre* Lieblingsfarbe.)

Sie war über und über mit Schmuck und Juwelen behängt, sogar ihre Zähne waren ganz aus Gold, mit blitzenden Brillanten als Plomben. Jedes einzelne ihrer dikken Wurstfingerchen war mit Ringen besteckt und sogar ihre langen Fingernägel waren vergoldet. Auf ihrem Kopf saß ein Hut von der Größe eines Autoreifens, an dessen Krempe hunderte von Geldstücken klimperten.

Als sie nun aus dem Kamin herauskroch und sich aufrichtete, sah sie aus wie eine Art Stehlampe – allerdings eine sehr teure.

Im Gegensatz zu den Hexen vergangener Zeiten war sie gegen Feuer immun, es machte ihr nichts aus. Sie patschte nur ärgerlich die Flämmchen tot, die noch auf ihrem Abendkleid herumhüpften.

Ihr Mopsgesicht mit den dicken Tränensäcken und den schlaffen Hängebacken war so stark geschminkt, daß es einer kosmetischen Schaufensterauslage glich. Als Handtäschchen trug sie einen kleinen Tresor mit Nummernschloß unter dem Arm.

»Hallooohoho!« rief sie und versuchte, ihrer schrillen Stimme einen süßen Klang zu geben, während sie nach allen Seiten spähte. »Ist denn niemand daaaha? Huhu! Bubilein!«

Keine Antwort.

Nun konnte Tyrannja Vamperl es ganz und gar nicht leiden, wenn man ihr keine Beachtung schenkte. Vor allem ihre imponierenden Auftritte waren ihr außerordentlich wichtig. Die Tatsache, daß Irrwitzer bei ihrer Schau überhaupt nicht zugegen gewesen war, machte sie bereits wütend auf ihn.

Unverzüglich begann sie, unter den Papieren auf dem Tisch herumzuschnüffeln, doch sie kam nicht weit, denn schon hörte sie Schritte nahen. Es war Irrwitzer, der endlich zurückkam. Mit ausgebreiteten Armen eilte sie ihrem Neffen entgegen.

»Beelzebub!« zwitscherte sie. »Beelzebübchen! Laß dich ansehen! Bist du's oder bist du's nicht?«

»Ich bin es, Tante Tyti, ich bin es«, erwiderte er und legte sein Gesicht in säuerliche Freudenfalten.

Tyrannja versuchte, ihn zu umarmen, was aber wegen ihrer Körperfülle nur mit Mühe gelang.

»Du bist es, mein *sehr* teurer Neffe«, krähte sie. »Ich dachte mir übrigens gleich, daß du es bist. Wer hättest du denn auch sonst sein sollen, nicht wahr?«

Sie schüttelte sich vor Kichern, daß alle Geldstücke klimperten.

Irrwitzer versuchte, sich ihrer Umklammerung zu entziehen und brummte: »Ich habe mir auch gleich gedacht, daß du es bist, Tantchen.«

Sie stellte sich auf die Zehenspitzen, um ihn in die Backe zu kneifen.

»Ich hoffe, du bist angenehm überrascht. Oder hast du vielleicht mit dem Besuch einer anderen niedlichen kleinen Hexe gerechnet?«

»Aber nicht doch, Tyti«, wehrte Irrwitzer grämlich ab, »du kennst mich doch. Für so etwas läßt mir meine Arbeit keine Zeit.«

»Allerdings kenne ich dich, Bubilein«, versetzte sie schelmisch, »und besser als jede andere, nicht wahr? Schließlich habe ich dich doch aufgezogen und deine Ausbildung finanziert. Und soweit ich sehe, lebst du auch heute nicht schlecht – auf meine Kosten.«

Irrwitzer schien nicht gern daran erinnert zu werden. Er antwortete griesgrämig: »Du auf meine aber auch nicht, wenn ich dich so ansehe.«

Tyrannja ließ von ihm ab, trat einen Schritt zurück und fragte drohend: »Was willst du damit sagen?«

»Oh, nichts«, antwortete er ausweichend, »du hast dich überhaupt nicht verändert in diesem halben Jahrhundert, seit wir uns das letzte Mal persönlich begegnet sind, liebste Tante.«

»Du dagegen«, sagte sie, »bist schrecklich gealtert, mein armer Junge.«

»Ah so?« versetzte er. »Dann muß ich dir allerdings sagen, daß du entsetzlich fett geworden bist, altes Mädchen.«

Eine Sekunde lang starrten sich beide bitterböse an, dann meinte Irrwitzer einlenkend: »Jedenfalls ist es doch schön, daß wir beide ganz die alten sind.«

»Hundertprozentig«, nickte Tyrannja, »es herrscht immer noch die gleiche Übereinstimmung zwischen uns wie eh und je.«

Die Tiere in der Tonne saßen so dicht zusammengedrängt, daß eines den Herzschlag des anderen spüren konnte. Sie wagten kaum zu atmen.

Das Gespräch zwischen Zauberer und Hexe ging noch eine Weile in diesem albernen Ton weiter. Es war offensichtlich, daß sie sich gegenseitig belauerten und keiner dem anderen traute. Aber schließlich versiegte ihr Vorrat an leeren Redensarten.

Beide hatten inzwischen auf Stühlen Platz genommen, einander gegenüber, und musterten sich mit schmalen Augen wie zwei Pokerspieler vor der Partie. Frostiges Schweigen erfüllte den Raum. An der Stelle mitten zwischen ihnen, wo ihre Blicke sich kreuzten, entstand in der Luft ein dicker Eiszapfen und fiel klirrend zu Boden.

»Und nun zum Geschäft«, sagte Tyrannja.

Irrwitzers Gesicht blieb undurchdringlich.

»Ich dachte mir schon, daß du nicht nur kommen würdest, um irgendeinen Sylvesterpunsch mit mir zu trinken.«

Die Hexe richtete sich auf.

»Wie kommst du denn ausgerechnet auf sowas?«

»Nun, durch deinen Raben da – Jakob Krakel, oder wie er heißt.«

»Der war hier?«

»Ja, du hast ihn doch geschickt.«

»Das habe ich *nicht* getan«, sagte Tyrannja böse. »Ich wollte dich mit meinem Besuch überraschen.«

Irrwitzer lächelte freudlos.

»Nimm's nicht so schwer, liebe Tante Tyti. So konnte ich mich doch wenigstens auf deinen lieben Besuch vorbereiten.«

»Dieser Rabe«, fuhr die Hexe fort, »nimmt sich einfach zu viel heraus.«

»Das finde ich allerdings auch«, antwortete Irrwitzer. »Er ist auffallend unverschämt.«

Die Tante nickte.

»Ich habe ihn seit ungefähr einem Jahr, aber er hatte von Anfang an einen aufsässigen Charakter.«

Wieder starrten Zauberer und Hexe sich schweigend an.

»Wieviel«, fragte Irrwitzer schließlich, »weiß er denn über dich – und deine Geschäfte?«

»Gar nichts«, sagte Tyrannja, »er ist bloß ein Prolet, weiter nichts.«

»Bist du da ganz sicher?«

»Hundertprozentig!«

Jakob kicherte lautlos in sich hinein und flüsterte dem kleinen Kater ins Ohr: »So kann man sich irren.«

»Warum behältst du das impertinente Federvieh überhaupt bei dir?« forschte Irrwitzer weiter.

»Weil *ich* zuviel von *ihm* weiß.«

»Und was weißt du von ihm?«

Die Hexe ließ ihre Brillantplomben blitzen.

»Alles.«

»Was heißt das?«

»Er ist in Wirklichkeit ein Spion, den mir der Hohe Rat der Tiere ins Haus geschickt hat, um mich zu überwachen. Dieser Galgenvogel hält sich für sehr gerissen. Er glaubt tatsächlich bis heute noch, ich hätte nichts davon gemerkt.«

Jakob klappte fast hörbar seinen großen Schnabel zu. Maurizio stieß ihn an und raunte: »So kann man sich irren – Kollege.«

Der Zauberer zog die Augenbrauen hoch und nickte nachdenklich.

»Sieh mal einer an«, sagte er, »auch ich habe seit einiger Zeit solch einen Spion im Haus – einen völlig verblödeten Kater, der sich einbildet, ein Sänger zu sein. Er ist leichtgläubig, gefräßig und eitel, also ein sehr angenehmer Charakter – für mich jedenfalls. Es war ein Kinderspiel, ihn von Anfang an unschädlich zu machen. Ich habe ihn mit Fressen vollgestopft – und mit Betäubungsmittelchen. Er döst nur noch vor sich hin, aber er ist glücklich und zufrieden, der kleine Idiot. Er vergöttert mich geradezu.«

»Und er ahnt nichts?«

»Er ist vollkommen vertrauensselig«, antwortete Irrwitzer. »Weißt du, was er heute getan hat? Er hat mir von sich aus alles gestanden – warum er hier ist und wer ihn geschickt hat. Er hat mich sogar um Verzeihung gebeten, weil er mich all die Zeit über getäuscht hätte. Kannst du dir einen solchen Trottel vorstellen?«

Die Spannung zwischen Zauberer und Hexe explodierte in einem schallenden Gelächter. Obwohl es zweistimmig war, klang es nicht gerade harmonisch.

Maurizio in der Tonne konnte ein kleines, lautloses Schluchzen nicht unterdrücken. Jakob, der gerade etwas Spöttisches hatte sagen wollen, fühlte es und verzichtete taktvollerweise auf jeden Kommentar.

»Trotzdem«, sagte Tyrannja, die unvermittelt wieder ernst wurde, »ist äußerste Vorsicht geboten, mein Junge! Daß man uns Spione ins Haus schickt, bedeutet, daß der Hohe Rat der Tiere Verdacht gegen uns geschöpft hat. Ich frage mich nur, durch wessen Schuld, Bubi?«

Irrwitzer trotzte dem Blick der Tante und erwiderte: »Das fragst du mich? Vielleicht warst *du* etwas zu leichtsinnig, Tyti. Wer weiß schon, was in so einem Rabengehirn vor sich geht. Hoffentlich verdirbt der Kerl mir nicht meinen dummen Kater und bringt ihn am Ende noch auf gefährliche Gedanken.«

Tyrannja schaute sich im Labor um.

»Wir sollten die beiden mal ins Verhör nehmen. Wo stecken sie denn?«

»In der Katzenkammer«, antwortete der Zauberer. »Ich habe Maurizio beauftragt, den Raben dort einzuschließen und zu bewachen.«

»Und wird er den Befehl ausführen?«

»Darauf kannst du Gift nehmen.«

»Dann lassen wir's vorläufig dabei«, entschied die Hexe. »Wir können uns die beiden später immer noch vorknöpfen. Im Augenblick habe ich etwas Dringenderes mit dir zu besprechen.«

Irrwitzers Argwohn kehrte sofort zurück.

»Und was wäre denn das, Tantchen?«

»Du hast mich noch gar nicht gefragt, *warum* ich eigentlich zu dir gekommen bin.«

»Dann frage ich es dich also jetzt.«

Die Hexe lehnte sich zurück und fixierte ihren Neffen eine Weile mit strengem Blick. Er wußte, daß ihm wieder einmal eine ihrer sogenannten Gardinenpredigten bevorstand, die er haßte, weil sich dahinter immer irgendeine andere Absicht verbarg. Nervös trommelte er mit den Fingern auf der Stuhllehne, blickte zur Decke hinauf und pfiff vor sich hin.

»Also, nun hör mir mal gut zu, Beelzebub Irrwitzer«, begann sie. »Mir hast du im Grunde alles zu verdanken, was du heute bist. Ist dir das eigentlich klar? Als deine lieben Eltern – mein Schwager Asmodeus und meine schöne Schwester Lilith – damals bei der großen Schiffskatastrophe, die sie verursacht hatten, versehentlich selbst so tragisch ums Leben kamen, habe ich dich bei mir aufgenommen und dich großgezogen. Ich habe es dir an nichts fehlen lassen. Ich habe dir eigenhändig die ersten Anfänge in profitabler Tierquälerei eingebleut, als du noch im zarten Kindesalter warst. Später habe ich dich auf die teuflischsten Schulen geschickt, ans Sodom- und Gomorra-Gymnasium und ans Ahriman-College. Aber du warst immer ein schwer erziehbarer Charakter, Bubi; schon als du noch ein kleiner Student an der Magisch-Technischen Universität in Stinkfurt warst, habe ich stets deine Eigenmächtigkeiten vertuschen und deine Unfähigkeiten decken müssen, weil wir nun mal eben die beiden letzten aus unserer Familie sind. Alles das hat mich ein hübsches Sümmchen gekostet, wie du weißt. Deine guten Noten beim Examen in Höherer Diabolik hast du auch nur mir zu verdanken, weil ich als Präsidentin der Internationalen Bosnickel-Aktien-Gesellschaft meinen Einfluß geltend gemacht habe. Ich habe dafür gesorgt, daß man dich in die Akademie der Schwarzen Künste aufnahm; und ich habe dich in die Tiefsten Kreise eingeführt, wo du deinen Gönner und Namenspatron höchstpersönlich kennenlernen durftest. Alles in allem, meine ich, stehst du genügend in meiner Schuld, um mir eine kleine Bitte nicht abzuschlagen, deren Erfüllung dich absolut nichts kostet.«

Irrwitzers Gesicht hatte einen verkniffenen Ausdruck angenommen. Wenn sie ihm so kam, dann wollte sie ihn für gewöhnlich irgendwie hereinlegen.

»Was mich absolut nichts kostet?« fragte er gedehnt. »Da bin ich aber neugierig.«

»Nun –«, sagte die Hexe, »es ist wirklich kaum der Rede wert. Unter den Erbstücken, die dein Großvater Belial Irrwitzer dir hinterlassen hat, befand sich doch, wenn ich mich recht erinnere, eine uralte Pergamentrolle von etwa zweieinhalb Metern Länge.«

Irrwitzer nickte zögernd.

»Sie liegt irgendwo auf meinem Speicher. Ich müßte sie erst suchen. Ich habe sie weggeräumt, weil mit ihr ganz und gar nichts anzufangen ist. Ursprünglich war sie offenbar viel länger, aber der gute Opa Belial hat sie bei einem seiner berühmten Wutanfälle in zwei Stücke gerissen. Mir hat er nur die zweite Hälfte vermacht, boshaft wie er war. Wo die erste Hälfte ist, weiß niemand. Wahrscheinlich handelt es sich um irgendein Rezept – leider völlig wertlos, auch für dich, Tantchen.«

»Eben!« sagte Tyrannja und lächelte, als ob ihr Gebiß aus Kandiszucker wäre. »Und da du, wie ich annehmen darf, auch in Zukunft auf meine Finanzierung Wert legst, könntest du mir eigentlich dieses wertlose Stück Pergamentrolle schenken.«

Das plötzliche Interesse der Tante an diesem Erbstück ließ den Zauberer aufhorchen.

»Schenken?!« – Er spuckte das Wort förmlich aus wie etwas Unappetitliches. – »Ich schenke nichts. Wer schenkt mir?«

Tyrannja seufzte.

»Nun, ich habe es mir fast gedacht. Warte einen Augenblick.«

Sie begann, mit ihren goldenen Klauen an dem Nummernschloß ihres Handtaschen-Tresors herumzufingern. Dazu murmelte sie geschäftsmäßig:

»Oh Mammon, Fürst dieser Welt,
du gibst Macht über Menschen und Sachen!
Aus Nichts schöpfst du immerfort Geld,
und mit Geld kann man Alles machen.«

Dann öffnete sie mit einem Ruck die kleine Panzertür und zog einige dicke Bündel Banknoten heraus, die sie vor Irrwitzer hinblätterte.

»Da!« sagte sie. »Vielleicht überzeugt dich das davon, daß ich wieder einmal nur deinen Profit im Auge habe. Tausend – zweitausend – drei – vier – wieviel willst du?«

Irrwitzer grinste wie ein Totenschädel. Jetzt hatte sein altes Tantchen einen entscheidenden Fehler gemacht. Er wußte zwar, daß sie die Fähigkeit besaß, soviel Geld zu produzieren, wie sie wollte – eine schwarzmagische Spezialität, die ihm selbst nicht zu Gebote stand, denn er war von einer anderen Branche –, aber er wußte auch, daß sie der Geiz in Person war und niemals auch nur einen Pfennig umsonst hergab. Wenn sie ihm eine solche Summe bot, dann mußte ihr *sehr viel* an der halben Pergamentrolle liegen.

»Liebste Tante Tyti«, sagte er scheinbar gelassen, »ich kann mich des Eindrucks nicht erwehren, daß du mir etwas verbirgst. Das ist nicht schön von dir.«

»Ich verbitte mir das!« antwortete die Hexe ungnädig. »So kann man keine Geschäfte miteinander machen.«

Sie stand auf, trat an den Kamin und tat so, als ob sie gekränkt in die Flammen blicke.

»He, Käterchen«, flüsterte Jakob dicht beim Ohr seines Leidensgefährten, »penn doch jetzt nicht ausgerechnet ein!«

Maurizio schreckte auf.

»Verzeihung«, hauchte er, »das kommt von dem Betäubungsmittel... Würdest du mich bitte mal fest kneifen?«

Jakob tat es.

»Noch fester!« sagte Maurizio.

Jakob zwickte ihn so kräftig, daß der kleine Kater um ein Haar laut miaut hätte, aber er beherrschte sich heldenhaft.

»Danke«, wisperte er mit Tränen in den Augen, »jetzt geht's wieder.«

»Weißt du, Beelzebub«, begann die Hexe mit schwärmerischer Stimme, »an solchen Abenden wie heute muß ich immer an die schönen alten Zeiten denken, als wir noch alle beisammen waren: Onkel Zerberus mit seiner reizenden Frau Medusa, Klein-Nero und seine Schwester Ghoulchen, dann mein Cousin Virus, der mir immer den

Hof machte, deine beiden Eltern und Opa Belial, der dich auf seinen Knieen reiten ließ. Weißt du noch, wie wir einmal bei einem Picknick den ganzen Wald niedergebrannt haben? Es war so stimmungsvoll.«

»Worauf willst du hinaus?« fragte Irrwitzer unlustig.

»Ich möchte diese Pergamentrolle von dir kaufen, Bubi, einfach als eine kleine Erinnerung an Großvater Belial. Tu's aus Familiengefühl!«

»Jetzt wirst du albern, Tante Tyti«, erwiderte er.

»Na schön«, sagte sie, wieder mit ihrer gewöhnlichen Stimme, und kehrte zu ihrem Taschen-Tresor zurück, »also wieviel? Ich lege nochmal fünftausend drauf.«

Sie zog weitere Geldbündel heraus und warf sie, jetzt schon ziemlich wütend, vor den Zauberer hin. Es war inzwischen ein ansehnlicher Haufen, jedenfalls viel mehr, als in der verhältnismäßig kleinen Tresor-Tasche Platz gehabt haben konnte.

»Na?« fragte sie erwartungsvoll. »Zehntausend – mein letztes Angebot! Nimm's oder wir lassen das Ganze.«

Die Falten in Irrwitzers Gesicht vertieften sich. Er starrte durch seine dicken Brillengläser auf das viele Geld. Seine Hände zuckten danach, doch er hielt sich zurück. Geld konnte ihm in seiner verzweifelten Lage sowieso nichts mehr nützen. Aber je mehr sie ihm bot, desto sicherer war er, daß sie ihm zu wenig bot. Er mußte unbedingt dahinterkommen, was sie in petto hatte.

Er versuchte es mit der Überrumpelungstaktik und feuerte sozusagen einen Schuß ins Dunkle ab.

»Komm, komm, altes Mädchen«, sagte er so ruhig wie

möglich, »ich weiß doch, daß *du* den ersten Teil der Rolle hast.«

Die Tante wechselte die Gesichtsfarbe unter der dikken Schminke.

»Woher ... ich meine, wieso ... das ist doch wieder mal nur ein schmutziger Trick von dir!«

Irrwitzer lächelte triumphierend.

»Nun ja, jeder von uns hat eben so seine kleinen Informationsmittelchen.«

Tyrannja schluckte und gab dann kleinlaut zu: »Also gut, da du's ja schon weißt... Mir war seit langem bekannt, wer den ersten Teil geerbt hatte, nämlich deine Cousine dritten Grades, die Filmdiva Megära Mumie in Hollywood. Wegen ihres luxuriösen Lebenswandels brauchte sie immer unmäßig viel Geld, deshalb konnte ich ihr das Pergament abkaufen – für eine horrende Summe allerdings.«

»Na bitte«, sagte Irrwitzer, »so kommen wir der Sache schon näher. Allerdings fürchte ich, man hat dich nach Strich und Faden hereingelegt. Was aus dieser Gegend kommt, ist selten authentisch.«

»Was soll das heißen?«

»Daß es mit ziemlicher Sicherheit nicht das Original ist, sondern irgendeine von diesen üblichen Nachahmungen.«

»Es ist das Original, und zwar hundertprozentig!«

»Hast du es jemals einem Fachmann gezeigt? Laß mich's doch mal prüfen.«

Seine Augen nahmen einen lauernden Ausdruck an.

Die Tante antwortete mit spitzem Mündchen: »Zeig mir deins, dann zeig ich dir meins.«

»Ach, weißt du«, meinte Irrwitzer uninteressiert, »mir kann es im Grunde egal sein. Behalte du deinen Teil, und ich behalte meinen.«

Das verfing.

Die Tante riß sich den riesigen Hut vom Kopf und begann, aus dem Inneren der enormen Krempe eine lange Pergamentrolle hervorzuziehen. Dazu also hatte sie diese lächerliche Kopfbedeckung gebraucht! Jetzt war übrigens auch zu sehen, daß sie nur noch wenige, knallrot gefärbte Haarsträhnen auf dem Kopf hatte, die oben zu einem zwiebelförmigen, kümmerlichen Knüstchen zusammengewickelt waren.

»Es *ist* das Original«, sagte sie nochmals grimmig und hielt das abgerissene Ende dem Neffen hin.

Irrwitzer beugte sich vor, rückte die Brille zurecht und erkannte sofort an den besonderen Schriftzeichen und anderen Merkmalen, daß die Tante tatsächlich recht hatte.

Er wollte danach grapschen, aber sie entzog es ihm.

»Finger weg, mein Junge! Das genügt.«

»Hm«, machte Irrwitzer und strich sich das Kinn, »es scheint wirklich der erste Teil des Rezeptes zu sein – aber wofür ist das Rezept?«

Tyrannja rutschte unruhig auf ihrem Stuhl herum.

»Ich versteh' dich einfach nicht, Beelzebub. Warum fragst du so viel? Zehntausend Talerchen sind doch schließlich kein Pappenstiel. Oder willst du am Ende nur den Preis in die Höhe treiben, du alter Halsabschneider? Also wieviel, sag schon endlich!«

Und sie begann weitere Geldscheinbündel aus ihrem Tresor-Täschchen zu zaubern.

Irrwitzer stand der Schweiß auf der Glatze.

»Ich frage mich«, murmelte er, »wer hier wem den Hals abschneidet, liebste Tante. Also, rück endlich heraus mit der Sprache – was für ein Rezept ist das?«

Tyrannja ballte ihre kleinen, fetten Fäustchen.

»Ach, zum Schwarzen Freitag mit dir und deiner Neugier! Es ist einfach nur ein altes Punschrezept. Ich habe eben Lust, diesen Punsch heute abend zu trinken, weil er ganz besonders delikat sein soll. Wir Feinschmecker sind nun mal so, wir zahlen jede Summe für solche besonderen Genüsse, und ich bin eben ein Leckermäulchen.«

»Nicht doch, Tantchen«, erwiderte Irrwitzer kopfschüttelnd, »wir wissen beide, daß dir seit mindestens hundert Jahren jeder Sinn für guten Geschmack abhanden gekommen ist. Du kannst Himbeersaft nicht von Schwefelsäure unterscheiden. Wem willst du eigentlich etwas vormachen?«

Tyrannja sprang zornbebend auf und watschelte im Labor herum. Sie war während der Verhandlung immer zappeliger geworden und hatte schon mehrmals heimlich nach der Uhr geblickt.

»Also gut«, schrie sie ihn plötzlich an, »ich sag' dir's, du verdammter Dickschädel! Aber du mußt mir zuerst bei Plutos Finsterem Bank-Palast schwören, daß du mir dann deinen Teil der Pergamentrolle verkaufst.«

Der Zauberer brummte etwas und machte eine ungewisse Kopfbewegung, die man als Nicken deuten konnte.

Die Hexe zog ihren Stuhl dicht an den seinen heran, setzte sich schnaufend und sprach mit gedämpfter Stimme:

»Also, hör zu – es handelt sich um das Rezept für den sagenhaften satanarchäolügenialkohöllischen Wunschpunsch. Das ist einer der urältesten und mächtigsten bösen Zauber des Universums. Er funktioniert nur in der Sylvesternacht, weil da das Wünschen eben eine ganz besondere Wirkung hat. Wir befinden uns heute doch genau in der Mitte der zwölf Rauhnächte, in denen bekanntlich alle Kräfte der Finsternis frei umgehen. Für jedes Glas dieses Zaubertranks, das man auf einen Zug leert, hat man einen Wunsch frei, der hundertprozentig in Erfüllung geht, wenn man ihn laut ausspricht.«

Erklärung des Wortes SATANARCHÄOLÜGENIALKOHÖLLISCH

Es handelt sich dabei um eines der Wörter, die in Zauberbüchern vielfach Verwendung finden und die man *Perspektiv-Wörter* nennt, wahrscheinlich, weil sie sich auseinanderziehen und zusammenschieben lassen wie jene altmodischen Fernrohre aus Messing, die man Perspektiv nannte.

Es gibt Perspektiv-Wörter, die sich über mehrere Zeilen, ja über eine ganze Seite hinziehen. In sehr seltenen Fällen erstrecken sie sich sogar über ein ganzes Kapitel. Es soll tatsächlich einmal ein ganzes Buch gegeben haben, das nur aus einem einzigen Wort-Ungeheuer dieser Art bestand.

Perspektiv-Wörter gelten in Zauberer- und Hexenkreisen als besonders wirkungsvoll. Die Regel, nach der sie gebildet werden, ist einfach, die Herstellung dagegen schwierig. Es muß nämlich die Anfangs- oder Schlußsilbe des einen Wortes »in gerader oder krummer Art« über die Anfangs- oder Schlußsilbe eines anderen Wortes geschoben werden können. Die Wörter im Inneren eines langen Perspektiv-Wortes müssen dementsprechend sowohl in das vorhergehende wie auch über das nachfolgende passen.

Im vorliegenden Fall handelt es sich um folgende sieben Grundbestandteile:

1. Satan 2. Anarch 3. Archäolog 4. Lüge
5. Genial 6. Alkohol 7. Höllisch
Daraus ergeben sich sechs »einfache« Perspektiv-Wörter (mit nur einem Gelenk):
1. Satanarchisch 2. Anarchäologie
3. Archäolüge 4. Lügenial 5. Genialkohol
6. Alkohöllisch
Daraus wiederum ergeben sich fünf »doppelte« Perspektiv-Wörter (mit je zwei Gelenken):
1. Satanarchäologie 2. Anarchäolüge
3. Archäolügenial 4. Lügenialkohol
5. Genialkohöllisch
Daraus nun ergeben sich vier »getripelte« Perspektiv-Wörter (mit je drei Gelenken):
1. Satanarchäolüge 2. Anarchäolügenial
3. Archäolügenialkohol 4. Lügenialkohöllisch
Daraus ergeben sich drei »doppelt-doppelte« Perspektiv-Wörter (mit je vier Gelenken):
1. Satanarchäolügenial 2. Anarchäolügenialkohol 3. Archäolügenialkohöllisch
Daraus ergeben sich die beiden »gequinteten« Perspektiv-Wörter (mit jeweils fünf Gelenken):
1. Satanarchäolügenialkohol und
2. Anarchäolügenialkohöllisch
Und schließlich das letzte »doppelt getripelte« Perspektiv-Wort (mit sechs Gelenken):

Satanarchäolügenialkohöllisch

Irrwitzers Blick war während der Erklärung der Tante starr geworden. Hinter seiner Stirn arbeitete es. Seine Stimme war plötzlich heiser vor Erregung, als er fragte: »Woher, beim Giga-Gamma-Super-GAU, willst du das alles wissen?«

»Die Gebrauchsanweisung steht am Anfang des Rezeptes auf meinem Teil der Rolle. Kein Irrtum möglich.«

Durch das Hirn des Zauberers zuckten tausend Gedankenfetzen wie die Blitze eines aufziehenden Gewitters. Mit diesem Wunschpunsch, das war ihm schlagartig klar, würde es ihm möglich sein, alle seine Versäumnisse an Übeltaten, sozusagen in einem Aufwaschen, doch noch nachzuholen. Was da so plötzlich und unerwartet zum Greifen nahe vor ihm lag, das war seine Rettung! Er würde dem höllischen Gerichtsvollzieher doch noch ein Schnippchen schlagen können. Nur mußte er dieses fabelhafte Gesöff natürlich unbedingt für sich allein haben. Auf gar keinen Fall mehr würde er jetzt noch der Tante seinen Teil der Pergamentrolle überlassen, ganz gleich, was sie ihm dafür anbieten würde – im Gegenteil, er mußte unbedingt an den ihren kommen, koste es, was es wolle, und wenn er sie dafür aus der Welt oder wenigstens in eine fremde Galaxis zaubern mußte. Das war allerdings leichter gedacht als getan. Er kannte ihre geheimen Kräfte nur zu gut und wußte, daß er allen Grund hatte, sich sehr vor ihr in acht zu nehmen.

Um sich nicht anmerken zu lassen, daß ihm die Hände zitterten, stand er auf und ging mit auf dem Rücken verschränkten Armen hin und her. Vor der Tonne mit der Aufschrift SONDERMÜLL blieb er gedankenverloren stehen, trommelte mit den Fingernägeln auf dem Deckel den Rhythmus des neuesten Höllenschlagers und summte vor sich hin:

»Ruhig Blut, ruhig Blut! sprach Dracula,
als er das Fräulein Rosa sah ...«

Die beiden Tiere im Inneren der Tonne duckten sich, klammerten sich aneinander und hielten die Luft an. Sie hatten jedes Wort der Unterhaltung mitbekommen.

Irrwitzer drehte sich mit einem Ruck um und sagte: »Ich fürchte, Tyti, aus der Sache kann nichts werden – so leid es mir für dich tut. Du hast eine Kleinigkeit vergessen, oder genauer gesagt zwei Kleinigkeiten, nämlich den Kater und den Raben. Sie werden dabei sein wollen. Da du deine Wünsche laut aussprechen mußt, würden sie alles mitanhören. Dann kommt dir der Hohe Rat der

Tiere auf den Hals. Wenn wir aber die beiden einsperren oder mit Gewalt ausschließen, machen wir uns ebenso verdächtig. Es wäre unverantwortlich von mir, wenn ich dir meinen Teil des Rezeptes geben würde. Ich kann nicht zulassen, daß du dich einer solchen Gefahr aussetzt, liebe Tante.«

Tyrannja ließ wieder ihre Goldzähne blitzen.

»Wie nett von dir, Bubi, daß du so besorgt um mich bist. Aber was du sagst, ist ganz falsch. Der Kater und der Rabe *sollen* nämlich dabei sein! Ich lege sogar den größten Wert darauf, sie als Zeugen zu haben. Das ist ja gerade der besondere Spaß an der Sache.«

Der Zauberer kam zurück.

»Wie denn das?«

»Es handelt sich«, erklärte die Hexe, »schließlich um keinen x-beliebigen Zaubertrank. Der satanarchäolügenialkohöllische Wunschpunsch hat eine Eigenschaft, die geradezu ideal ist. Er kehrt nämlich alles, was man wünscht, ins *Gegenteil* um. Man wünscht Gesundheit, und heraus kommt eine Seuche; man redet von allgemeinem Wohlstand und erzeugt in Wirklichkeit Elend; man spricht von Frieden, und das Ergebnis ist Krieg. Hast du jetzt verstanden, Bübchen, was das für eine feine Sache ist?«

Tyrannja gluckste vor Vergnügen und fuhr fort: »Du weißt doch, wie sehr ich Wohltätigkeitsveranstaltungen liebe. Sie sind meine ganze Leidenschaft. Nun, ich werde heute ein wahres Fest – ach, was sage ich – eine *Orgie* der Wohltätigkeit veranstalten!«

Irrwitzers Augen hinter den dicken Brillengläsern begannen zu glitzern.

»Beim strahlenden Strontium!« rief er. »Und die Spione werden sogar noch Zeugen dafür sein, daß wir nur unser Bestes getan haben – nichts als lauter Wohltaten für die arme, leidende Welt!«

»Das«, krähte Tyrannja, »wird eine Sylvesterparty, wie ich sie mir erträumt habe, seit ich das Geldhexen-Einmaleins gelernt habe!«

Und der Neffe fiel ihr mit gröhlendem Baß ins Wort: »Die Welt wird sich noch nach Jahrhunderten an diese Nacht erinnern – an die Nacht, in der die große Katastrophe ausbrach!«

»Und niemand wird wissen«, kreischte sie, »woher das ganze Unheil kam!«

»Nein, niemand«, johlte er, »denn wir beide, du, Tyti, und ich – wir stehen da, rein wie die Unschuldslämmer!«

Und sie fielen sich in die Arme und hopsten herum. Sämtliche Gläser und Tiegel im Raum begannen, einen schrillen, mißtönenden Totentanz-Walzer zu spielen, die Möbel stampften mit den Beinen, das grüne Feuer im Kamin loderte rhythmisch, und auch der ausgestopfte Haifisch an der Wand klappte im Takt mit seinem eindrucksvollen Gebiß.

»He, Käterchen«, flüsterte Jakob, »ich glaub', mir wird schlecht. Mir is' so komisch im Kopf.«

»Mir auch«, antwortete Maurizio ebenso leise, »das macht diese Musik. Wir Sänger haben nämlich sehr empfindsame Ohren.«

»Katzen vielleicht«, meinte Jakob, »unsereinem macht keine Musik was aus.«

»Vielleicht kommt es auch von dem Betäubungsmittel«, vermutete der kleine Kater.

»Bei dir vielleicht, aber doch nicht bei mir«, raunte der Rabe. »Bist du wirklich ganz sicher, daß du richtig gelesen hast, was auf der Tonne steht?«

»Warum?« fragte Maurizio ängstlich.

»Vielleicht is' das Zeugs giftig, in dem wir da hocken.«

»Was!? Du meinst, wir sind schon verseucht?«

Der kleine Kater wollte vor Entsetzen spornstreichs aus der Tonne springen. Jakob hielt ihn fest.

»Halt! Doch nicht jetzt! Wir müssen warten, bis die zwei da weg sind, sonst is' alles aus.«

»Und wenn sie überhaupt nicht weggehen?«

»Dann«, schnarrte der Rabe düster, »wird's eben ein böses Ende nehmen.«

»Verzeih mir!« hauchte der kleine Kater zerknirscht.

»Was soll ich verzeihen?«

»Ich kann überhaupt nicht lesen.«

Eine Weile war es still, dann schnarrte Jakob: »Ach, wär' ich doch nur bei Tamara im Nest geblieben.«

»Ist das wieder eine andere?« fragte Maurizio.

Aber Jakob antwortete nicht.

Zauberer und Hexe waren auf ihre Stühle gesunken und versuchten, wieder zu Atem zu kommen. Ab und zu stieß ihnen beiden noch ein böses Kichern auf. Irrwitzer putzte seine dicke Brille, deren Gläser angelaufen waren, mit dem Ärmel seines Schlafrocks; Tyrannja tupfte sich mit einem Spitzentüchlein vorsichtig, um die Schminke nicht zu verwischen, den Schweiß von der Oberlippe.

»Ach, übrigens, Bubi«, sagte sie beiläufig, »du hast da eben mehrmals von ›wir‹ und ›uns‹ gesprochen. Nur, daß wir uns da nicht mißverstehen: Ich brauche zwar deinen Teil der Rolle und deine Hilfe als Experte, aber dafür wirst du ja mehr als gut bezahlt, nicht wahr? Trinken und wünschen werde ich natürlich allein. Damit hast du nichts zu tun.«

»Irrtum, Tantchen«, antwortete Irrwitzer, »du würdest dir dabei nur einen alkohöllischen Schwips zuziehen und womöglich krank werden. Du bist schließlich nicht mehr die Jüngste. Überlaß das getrost mir. Du kannst mir ja sagen, was ich für dich wünschen soll. Nur unter dieser Bedingung mache ich mit.«

Tyrannja fuhr in die Höhe.

»Ich höre wohl nicht richtig?« schrie sie. »Du hast es bei Plutos Finsterem Bank-Palast geschworen, daß du mir deinen Teil verkaufst.«

Irrwitzer rieb sich die Hände.

»So? Daran kann ich mich gar nicht mehr erinnern.«

»Um Teufelswillen, Bubi«, schnappte sie, »du wirst doch wohl einen solchen Eid nicht brechen!«

»Ich habe nichts geschworen«, antwortete er grinsend, »du mußt dich verhört haben.«

»Wohin ist es nur mit unserem alten Familiensinn gekommen«, sie schlug die beringten Hände vors Gesicht, »wenn selbst eine arglose alte Tante ihrem Lieblingsneffen nicht mehr trauen kann!«

»Ich bitte dich, Tyti«, sagte er, »beginnst du schon wieder mit diesem Quatsch!«

Eine Weile starrten sich beide feindselig an.

»Wenn wir in dieser Art weitermachen«, ließ sich schließlich die Hexe vernehmen, »dann sitzen wir nächstes Jahr noch genauso da.«

Wieder blickte sie nach der Uhr, und es war deutlich, daß sie sich nur noch mit Mühe in der Gewalt hatte. Ihre Hängebacken zitterten, und ihr mehrfaches Doppelkinn bebte.

Irrwitzer genoß insgeheim die Situation – obwohl es ihm selbst kaum besser erging. Er war so viele, lange Jahre von der Geldhexe abhängig gewesen, und sie hatte ihn das auch gehörig fühlen lassen, daß es ihm jetzt ausgesprochenes Vergnügen bereitete, sie endlich einmal so richtig fertig zu machen.

Er hätte dieses Spiel gerne noch länger ausgedehnt, doch blieben ihm selbst ja nur noch wenige Stunden bis Mitternacht.

»Das nächste Jahr«, murmelte er etwas abwesend, »beginnt ja schon bald.«

»Eben«, platzte Tyrannja heraus, »und weißt du, was dann geschieht, du Idiot? Der Wunschpunsch verliert beim ersten Ton der Sylvesterglocken seine Umkehrwirkung!«

»Du übertreibst wohl wie gewöhnlich, Tyti«, meinte Irrwitzer, nun doch etwas unsicher, »ich kann zwar das

Glockenläuten auch nicht leiden, weil es mir immer Sodbrennen verursacht, aber du wirst mir nicht einreden wollen, daß ein einziger Glockenton die ganze infernalische Zauberkraft eines so mächtigen Getränks aufheben kann.«

»Nicht die Zauberkraft«, schnaubte sie, »sondern die *Umkehrwirkung* – und das ist viel schlimmer! Dann wird die Lüge zur Wahrheit, verstehst du! Dann gilt alles wortwörtlich so, wie es gesagt wurde.«

»Moment mal«, sagte der Zauberer irritiert, »was heißt das?«

»Das heißt, daß wir vor Mitternacht unbedingt den Punsch fertig gebraut haben müssen, und zwar möglichst lange vor Mitternacht. Ich muß ihn nämlich bis auf den letzten Tropfen ausgetrunken und dazu all meine Wünsche gesagt haben, ehe der erste Ton des Neujahrsgeläuts erklingt. Wenn auch nur der kleinste Rest übriggeblieben ist, dann geht alles schief! Stell dir vor, was dann passiert: Alle meine scheinbar so guten Wünsche, auch die, die ich schon vorher gesagt habe, würden sich nicht mehr ins Gegenteil umkehren, sondern ganz buchstäblich in Erfüllung gehen.«

»Entsetzlich!« stöhnte Irrwitzer. »Gräßlich! Grauenvoll! Schauderhaft!«

»Na, siehst du«, bestätigte die Tante, »aber wenn wir uns beeilen, dann geht alles gut.«

»Gut?« Irrwitzers Gesicht zuckte konfus. »Was heißt gut?«

»Ich meine natürlich schlecht«, beruhigte sie ihn, »gut

für uns, aber in Wirklichkeit schlecht. So schlecht, wie wir's uns nur wünschen können.«

»Wunderbar!« rief Irrwitzer. »Grandios! Fabelhaft! Berauschend!«

»Du sagst es, mein Junge«, antwortete Tyrannja und klopfte ihm aufmunternd aufs Knie, »und darum mach schon endlich voran!«

Als sie sah, daß der Neffe sie noch immer unschlüssig anstarrte, zog sie von neuem Bündel über Bündel von Geldscheinen aus ihrem Handtaschen-Tresor und häufte sie vor ihm auf.

»Vielleicht hilft das deinem lahmen Verstand auf die Beine. Hier hast du zwanzigtausend – fünfzig – achtzig – hunderttausend! Aber das ist nun wirklich mein letztes Wort. Geh endlich und hol mir deinen Teil der Rolle her! Schnell! Lauf doch! Sonst überleg' ich mir's noch anders.«

Aber Irrwitzer rührte sich nicht.

Er war sich absolut nicht sicher, ob die Tante mit ihrer Drohung nicht ernst machen würde, und ob er mit diesem letzten Bluff vielleicht alles aufs Spiel setzte, aber er mußte es riskieren.

Mit steinernem Gesicht sagte er: »Behalte dein Geld, Tante Tyti. Mir liegt nichts daran.«

Jetzt drehte die Hexe durch. Keuchend warf sie ihm weitere Geldbündel ins Gesicht und schrie außer sich: »Hier und hier und hier ... was soll ich dir denn sonst bieten? Wieviel verlangst du denn noch, du Hyäne? Eine Million? Drei? Fünf? Zehn? ...«

Sie fuhr mit beiden Händen in den Berg von Papiergeld und warf es wie eine Verrückte in die Luft, so daß es im ganzen Labor herunterschneite.

Schließlich sank sie erschöpft auf ihrem Stuhl zusammen und japste: »Was ist nur los mit dir, Beelzebübchen? Früher warst du so schön bestechlich und habgierig und überhaupt ein netter, folgsamer Junge. Was hat dich denn nur so verändert?«

»Es hilft nichts, Tyti«, versetzte er, »entweder du gibst mir deinen Teil der Pergamentrolle – oder du gestehst mir endlich offen, warum dir so viel an meinem liegt.«

»Wem? Mir?« fragte sie schwach und mit einem letzten Versuch, sich dumm zu stellen. »Wieso denn? Was soll mir schon daran liegen? Es geht doch nur um einen Sylvesterspaß.«

»Darüber«, sagte Irrwitzer kalt, »kann ich nicht einmal mehr lachen. Unser Sinn für Humor ist zu verschieden, liebste Tante. Es ist wohl besser, wir vergessen den ganzen Unsinn. Also, Schwamm drüber! Vielleicht hättest du jetzt gern eine gute Tasse Schierlingstee?«

Aber anstatt sich für dieses höfliche Angebot zu bedanken, bekam Tyrannja einen Wutanfall. Sie lief unter ihrer ferkelfarbenen Schminke quittegelb an, stieß einen unartikulierten Schrei aus, der wie das Signal einer Heulboje klang, sprang auf und stampfte wie ein jähzorniges Kind mit den Füßen.

Nun weiß man ja schon, daß derartige Ausbrüche bei Hexen und Zauberern ganz andere Folgen haben als bei jähzornigen Kindern. Mit Donnerkrachen platzte der

Fußboden auf, aus dem Riß quollen Flammen und Rauch, und ein riesiges, rotglühendes Kamel streckte seinen Kopf hervor, der auf einem schlangenartigen Hals saß, sperrte sein Maul auf und blökte den Geheimen Zauberrat ohrenbetäubend an.

Doch der zeigte sich davon nicht im mindesten beeindruckt.

»Ich bitte dich, Tantchen«, sagte er müde, »du ruinierst mir nur den Estrich – und das Trommelfell.«

Tyrannja winkte dem Kamel zu verschwinden, der Fußboden schloß sich wieder, ohne daß eine Spur zurückblieb, und nun verblüffte die Hexe den Zauberer doch noch durch etwas Unerwartetes:

Sie weinte.

Das heißt, sie tat jedenfalls so, denn natürlich können auch Hexen keine wirklichen Tränen vergießen. Immerhin zog sie ihr Gesicht zusammen wie eine vertrocknete Zitrone, tupfte sich die Augen mit ihrem Spitzentüchlein und wimmerte: »Ach, Bubi, du böser, böser Junge! Warum mußt du mich immer so ärgern? Du weißt doch, wie temperamentvoll ich bin.«

Irrwitzer betrachtete sie angeekelt.

»Peinlich«, sagte er nur, »wirklich äußerst peinlich.«

Sie produzierte probeweise noch ein paar Schluchzer, doch dann verzichtete sie auf die weitere Vorführung und erklärte mit gebrochener Stimme: »Na gut, wenn ich dir's sage, dann hast du mich hundertprozentig in der Tasche – und das wirst du natürlich schamlos ausnützen, wie ich dich kenne. Aber was soll's, ich bin so oder so

verloren. Heute war bei mir ein höllischer Beamter, ein gewisser Maledictus Made, im Auftrag meines Gönners, des Infernalischen Finanzministers Mammon. Er hat mir angekündigt, daß ich noch diese Nacht bei Jahresende persönlich gepfändet werde. Und das ist allein deine Schuld, Beelzebub Irrwitzer! Als deine Auftraggeberin sitze ich nun in der schwärzesten Tinte. Weil *du* hinten und vorne nicht fertig geworden bist, bin *ich* mit meinen Geschäften in Verzug geraten und konnte nicht soviel Unheil stiften, wie ich laut meinem Vertrag sollte. Deswegen halten die Tiefsten Kreise dort unten sich nun an mich. Mich ziehen sie dafür zur Verantwortung! Das habe ich davon, daß ich aus familiärer Anhänglichkeit meinen unfähigen und faulen Neffen finanziert habe! Und wenn du nun auch nur einen Funken Schuldbewußtsein in dir hast, dann gibst du mir jetzt auf der Stelle deinen Teil des Rezeptes, damit ich den Wunschpunsch trinken kann. Das ist meine letzte Rettung. Sonst sollst du verflucht sein mit dem schlimmsten Fluch, den es gibt: Mit dem Erbtanten-Fluch!«

Irrwitzer hatte sich in seiner ganzen, knochendürren Länge erhoben. Seine Nasenspitze war während der Rede Tyrannjas nach und nach grünlich geworden.

»Halt ein!« rief er und hob abwehrend die Hand. »Halt ein, ehe du etwas tust, was dich gereuen würde! Wenn es so steht, wie du sagst, dann bleibt uns beiden nichts anderes übrig, als gemeinsame Sache zu machen. Wir haben uns nämlich gegenseitig in der Tasche, meine liebe Tante. Auch bei mir war dieser höllische Gerichtsvollzieher, und auch ich werde um Mitternacht persönlich gepfändet, es sei denn, ich hole das Versäumte nach. Wir sitzen im gleichen Boot, meine Beste, und wir werden uns nur gemeinsam retten oder gemeinsam untergehen.«

Während seiner Worte war auch Tyrannja aufgestanden. Sie blickte zu ihrem Neffen empor und streckte die Arme aus.

»Bubi«, stammelte sie, »laß dich küssen!«

»Später, später«, antwortete Irrwitzer ausweichend, »jetzt haben wir Dringenderes zu tun. Wir werden gemeinsam und unverzüglich an die Zubereitung des sagenhaften satanarchäolügenialkohöllischen Wunschpunsches gehen, wir werden ihn dann gemeinsam trinken, abwechselnd ich ein Glas und dann du eines, und dabei werden wir gemeinsam unsere Wünsche sagen, erst ich einen, dann du, dann wieder ich ...«

»Nein«, unterbrach ihn die Tante, »lieber erst *ich,* dann *du.*«

»Wir können ja losen«, schlug er vor.

»Meinetwegen«, sagte sie.

Und jeder von beiden dachte, daß sich später sicherlich noch eine Möglichkeit finden würde, den anderen auszutricksen. Und beide wußten, daß der andere das dachte. Schließlich waren sie ja doch aus der gleichen Familie.

»Dann hole ich also jetzt meinen Teil des Rezeptes«, sagte er.

»Und ich begleite dich, Bubi«, antwortete sie. »Vertrauen ist gut, Kontrolle ist besser, meinst du nicht auch?«

Irrwitzer eilte davon, und Tyrannja folgte ihm mit überraschender Behendigkeit.

Kaum waren die Schritte der beiden verklungen, da purzelte der kleine Kater aus der Tonne. Er fühlte sich schwindelig und elend. Der Rabe, dem es nicht anders ging, kam ihm nachgeflattert.

»Na«, krächzte er, »hast du alles gehört?«

»Ja«, sagte Maurizio.

»Und hast du alles kapiert?«

»Nein«, sagte Maurizio.

»Aber ich«, erklärte der Rabe, »und wer hat jetzt die Wette gewonnen?«

»Du«, sagte Maurizio.

»Und wie steht's mit dem rostigen Nagel, Kollege? Wer muß ihn fressen?«

»Ich«, sagte Maurizio. Und dann fügte er etwas hochtrabend hinzu: »So sei es denn! Ich will sowieso sterben.«

»Quatsch!« schnarrte Jakob. »War doch bloß Spaß. Vergiß es! Hauptsache, du bist jetzt überzeugt, daß ich recht hatte.«

»Deswegen will ich ja gerade sterben«, versetzte Maurizio mit tragischer Miene. »Eine solche Schande überlebt kein ritterlicher Minnesänger. Das verstehst du nicht.«

»Ah, red' doch nicht immer so geschwollen daher!« sagte Jakob ärgerlich. »Sterben kannst du immer noch. Jetzt gibt's Wichtigeres zu tun.«

Und er stakste auf seinen dünnen Beinen im Labor herum.

»Richtig, ich werde es noch ein bißchen aufschieben«, meinte Maurizio, »denn vorher will ich diesem gewissenlosen Schurken, den ich Maestro nannte, meine Meinung sagen. Ich werde ihm meine Verachtung ins Gesicht schleudern. Er soll erfahren, daß ...«

»Gar nix wirst du«, gackste Jakob. »Oder willst du schon wieder alles verpatzen?«

Maurizios Augen glühten wild entschlossen.

»Ich fürchte mich nicht. Ich muß meiner Empörung unbedingt Luft machen, sonst könnte ich mir selbst nicht mehr in die Augen sehen. Er soll wissen, was Maurizio di Mauro von ihm hält ...«

»Ja freilich«, sagte Jakob trocken, »das wird dem recht viel ausmachen. Jetzt hör mir halt endlich zu, du Heldentenor! Die zwei dürfen doch auf keinen Fall spitzkriegen, daß wir wissen, was sie vorhaben.«

»Warum nicht?« fragte der kleine Kater.

»Weil – solang' die nicht wissen, daß wir's wissen, können wir vielleicht noch alles verhindern, verstehst du?«

»Verhindern? Wie denn?«

»Zum Beispiel mit ... ach, das weiß ich auch noch nicht. Wir müßten irgendwas anstellen, damit die mit ihrem Zaubergesöff nicht mehr rechtzeitig fertig werden. Wir benehmen uns recht blöd und stoßen dabei das Glas um, wo das Zeug drin is', oder – na, irgendwas wird uns schon einfallen. Wir müssen eben auf dem Draht sitzen.«

»Auf was müssen wir sitzen?«

»Junge, du verstehst auch gar nix. Also, scharf beobachten müssen wir, kapiert? Genau aufpassen müssen wir auf alles, was die tun. Und deswegen dürfen die beiden nix davon merken, daß wir gehorcht haben. Das is' jetzt unser einziger Vorteil, Kollege. Is' die Flugrichtung endlich klar?«

Er flatterte auf den Tisch.

»Ach so!« sagte Maurizio. »Das bedeutet also, die Zukunft der Welt liegt jetzt in unseren Pfoten.«

»So ungefähr«, antwortete der Rabe, während er zwischen den Papieren herumstelzte, »Pfoten würde ich allerdings nicht sagen.«

Maurizio warf sich in die Brust und murmelte vor sich hin: »Ha, eine große Tat ... Das Schicksal ruft ... Als edler Ritter scheu' ich nicht Gefahr ...«

Er versuchte sich zu erinnern, wie die berühmte Kater-Arie weiterging, als Jakob plötzlich schnarrte: »He, komm doch mal her!«

Er hatte Tyrannjas Pergamentrolle entdeckt, die auf dem Tisch liegengeblieben war, und beguckte sie erst mit dem einen, dann mit dem anderen Auge.

Der kleine Kater war mit einem Sprung an seiner Seite.

»Schau, schau!« raunte der Rabe. »Wenn wir das Dings da ins Feuer schmeißen täten, dann wär's doch aus mit dem ganzen Zauberpunsch. Dein Maestro hat doch selbst gesagt, daß er mit der zweiten Hälfte allein nix anfangen kann.«

»Ich hab's gewußt!« rief Maurizio. »Ich war sicher, daß wir eine fabelhafte Idee haben würden. Also schnell, hinweg damit! Und wenn die Schurken danach suchen, dann treten wir vor sie hin und sagen...«

»Der Wind war's«, unterbrach ihn Jakob. »Das werden wir sagen – wenn's unbedingt sein muß. Am besten wissen wir überhaupt von nix. Meinst du, ich hab' Lust, mir von denen noch zum Schluß den Kragen umdrehen zu lassen?«

»Du bist eben doch ein Banause«, meinte Maurizio ernüchtert, »du hast einfach keinen Sinn für Größe.«

»Stimmt«, sagte Jakob, »deswegen bin ich noch am Leben. Komm, faß mit an!«

Gerade wollten sie gemeinsam zupacken, da entrollte sich plötzlich die Pergamentschlange ganz von allein und richtete ihr Vorderteil hoch auf wie eine Riesenkobra vor dem Beschwörer.

Den beiden Helden fiel augenblicklich das Herz in die Feder – beziehungsweise Fellhose. Sie klammerten sich aneinander und blickten zu dem hin- und herschwankenden Ende hinauf, das bedrohlich auf sie herabzustarren schien.

»Ob die beißen kann?« flüsterte Maurizio zitternd.

»Keine Ahnung«, antwortete Jakob, und sein Schnabel klapperte leise.

Ehe sie noch begriffen hatten, was geschah, hatte sich die Pergamentrolle mit einer blitzartigen Bewegung um sie herumgewickelt, immer wieder und wieder, bis sie wie ein Paket aussah, aus dem oben ein Kater- und ein Rabenkopf herausschauten. Die beiden konnten keine Bewegung mehr machen und bekamen kaum noch Luft. Die Umschlingung zog sich fester und fester zusammen.

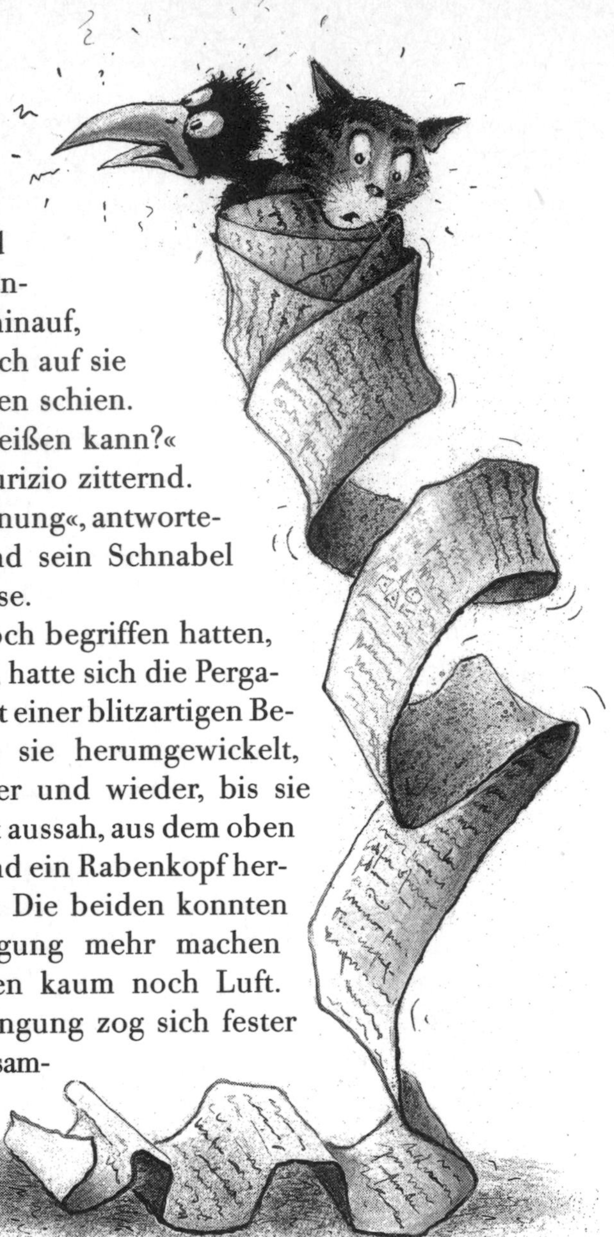

Sie wehrten sich mit all ihren schwachen Kräften, aber das Pergament war unzerreißbar.

»Ax!« – »Uff!« – »Urgs!« war alles, was sie noch herausbringen konnten.

Da ertönte Irrwitzers heiserer Baß:

»Eigenmächt'ger Geisterspuk!
Bei des Meisters Ring:
Falsches Leben, Larventrug,
weiche aus dem Ding!«

Im gleichen Augenblick fiel die Pergamentschlange ab, zuckte noch ein wenig und lag dann reglos da, nicht mehr als eben ein langer, beschriebener Streifen.

»Untertänigsten Dank, Euer Gnaden«, keuchte Jakob, »das war knapp!«

Maurizio konnte gar nicht sprechen, erstens, weil ihm alle Knochen wehtaten, zweitens aber, weil es ihm die Rede verschlug, daß ausgerechnet Irrwitzer ihnen das

Leben gerettet hatte, den er doch eigentlich mit tiefster Verachtung strafen wollte. Solchen Komplikationen war sein Verstand nicht gewachsen.

Nun tauchte auch Tyrannja Vamperl hinter dem Zauberer auf.

»Ach du lieber Zins!« rief sie. »Ihr armen Kleinchen, ihr habt euch doch nicht am Ende weh getan?«

Sie tätschelte den Kopf des Raben.

Auch der Zauberer streichelte Maurizio und sagte in gütigem Ton:

»Also hört mal, das sind doch keine Spielsachen hier! Du solltest das eigentlich wissen, Maurizio di Mauro. Ihr dürft niemals etwas anfassen ohne meine ausdrückliche Erlaubnis. Das ist viel zu gefährlich. Es könnte euch werweißwas passieren, und das würde deinen guten Maestro sehr, sehr traurig machen.«

»Blablablabla...«, schnarrte der Rabe fast unhörbar in sich hinein.

Zauberer und Hexe wechselten einen raschen Blick, dann fragte sie: »Jaköbchen, mein lieber Rabe, wieso bist du überhaupt hier?«

»Bitte, Madam«, antwortete Jakob mit Unschuldsmiene, »ich hab' bloß Ihren Besuch anmelden gewollt.«

»So? Ich kann mich aber gar nicht erinnern, daß ich dir das befohlen hätte, mein Vögelchen.«

»Ich hab's freiwillig gemacht, weil ich gemeint hab', Sie wollen mich bloß schonen – aus lauter Sorge wegen dem Sauwetter und meinem Reißmatissimus, und ich wollt' Ihnen aber unbedingt einen Gefallen tun.«

»Naja – das ist ja sehr lieb von dir, Jaköbchen. Aber in Zukunft fragst du mich doch lieber vorher.«

»War's denn schon wieder falsch?« fragte Jakob zerknirscht. »Ach, ich bin einfach ein richtiger Unglücksrabe.«

»Sag mal«, wandte sich der Zauberer an den Kater, »wo habt ihr denn die ganze Zeit gesteckt, ihr kleinen Schlingel?«

Maurizio wollte schon antworten, aber der Rabe kam ihm hastig zuvor.

»Der widerliche Vogelfresser da hat mich in seine Kammer verschleppen wollen, Euer Gnaden, aber ich bin ihm ausgekommen und in den Keller hinunter gesaust, und er hat mich trotzdem erwischt und in eine verstunkene Kiste gesperrt, da hab' ich stundenlang protestiert, weil das keine Art is', und so behandelt man keinen Gast nicht, und da hat er aufgemacht und gesagt, daß ich den Schnabel halten soll, weil er mich sonst als Brathuhn in die Röhre schiebt, und da hab' ich ihm dafür eins übergebraten, und dann is' eine Keilerei losgegangen, und auf einmal, da waren wir wieder hier, ich weiß auch nicht wie, und dann hat sich beim Raufen die blöde Papierschlange da um uns 'rumgewickelt, und dann sind Sie gekommen, zum Glück. Aber dieser Kater, also ich muß ehrlich sagen, der gehört in einen Käfig, gehört der, weil der is' ja direkt gemeingefährlich und eine blutgierige Bestie!«

Maurizio hatte dem Redeschwall des Raben mit runden Augen zugehört. Ein paarmal hatte er unterbrechen wollen, war aber glücklicherweise nicht zu Wort gekommen. Jetzt sagte Irrwitzer lachend zu ihm: »Brav, brav, mein tapferer kleiner Ritter! Aber von jetzt an müßt ihr zwei euch vertragen. Versprecht ihr uns das?«

»Soweit kommt's noch!« krächzte Jakob und drehte Maurizio den Rücken zu. »Ich vertrag mich doch nicht mit jemandem, der Brathuhn zu mir sagt. Das soll er zuerst zurücknehmen!«

»Aber...«, wandte Maurizio ein, doch die Hexe unterbrach ihn.

»Kein aber!« flötete sie mit süßlicher Stimme. »Seid lieb miteinander, ihr kleinen Racker! Wir haben uns nämlich was besonders Feines für euch ausgedacht, mein famoser Neffe und ich. Und wenn ihr hübsch friedlich seid und euch schön vertragt, dann dürft ihr bei unserer Sylvesterfeier mit dabei sein. Es wird sehr lustig werden, nicht wahr, Bubi, das wird es doch?«

»Allerdings«, antwortete Irrwitzer mit schiefem Lächeln, »es wird wahrhaftig eine schöne Bescherung. Wenn ihr brav seid.«

»Ungern«, schnarrte Jakob. »Aber wenn's nicht anders geht, machen wir halt Frieden, Herr Baron, oder?«

Er stieß Maurizio mit dem Flügel an, und der nickte ein bißchen töricht.

Die Hexe hatte inzwischen die Pergamentschlange wieder zusammengerollt. Nun holte der Zauberer eine ganz gleich aussehende Rolle aus dem weiten Ärmel seines Schlafrocks hervor.

»Als erstes, Tyti«, erklärte er, »müssen wir jetzt die Probe aufs Exempel machen, ob die beiden Teile auch wirklich ursprünglich zusammengehören. Du weißt die Formel und was du zu tun hast?«

»Alles klar«, antwortete sie.

Dann sprachen sie zu zweit:

»Durch die Kraft von sechsundsechzig
umgekehrten Pentagrammen
zeigen unecht oder echt sich
Teile, die vom Ganzen stammen.
Formel aus der Zeiten Nacht,
bist du's, zeige deine Macht!
Unter Blitz und Flammen
füge dich zusammen!
Achtung! – Fertig! – Los!«

Im gleichen Augenblick warfen beide ihre Pergamentrollen in die Höhe. Ein ungeheurer, blendender Blitz zuckte, die ganze Luft ringsum funkelte von abertausend Sternchen, als sei eine Feuerwerksrakete explodiert, aber zu hören war diesmal nichts.

Die Enden der beiden Teile waren, wie von einer ungeheuren Magnetkraft angezogen, zusammengeschossen und hatten sich miteinander vereint – so vollkommen und ohne Klebestelle, als seien sie nie getrennt gewesen.

In großen, langsamen Wellenbewegungen schwebte eine etwa fünf Meter lange Pergamentschlange unter der Decke des Labors dahin und sank nach und nach zu Boden.

Zauberer und Hexe nickten sich befriedigt zu.

»Und nun«, wandte sich Irrwitzer an die Tiere, »müßt ihr uns für ein kleines Weilchen allein lassen. Wir wollen die Sylvesterfeier vorbereiten, und dabei können wir euch nicht brauchen.«

Jakob, noch immer in der heimlichen Absicht, zu verhindern, daß der Wunschpunsch rechtzeitig fertig würde, bat und bettelte, dabeibleiben zu dürfen und versprach, sich ganz, ganz ruhig zu halten. Maurizio schloß sich ihm an.

»Nichts da, ihr neugierigen Kerlchen«, sagte Tyrannja, »ihr würdet uns nur dauernd mit euren Fragen stören – und außerdem soll es doch eine Überraschung für euch werden.«

Als alles Zureden nichts half, packte die Hexe schließlich den Raben und der Zauberer den Kater. Sie trugen sie in Maurizios Katzenkammer und setzten sie dort ab.

»Ihr könnt ja schon ein bißchen vorausschlafen«, meinte Irrwitzer, »damit ihr nachher bei der Feier nicht müde werdet. Vor allem du, Käterchen.«

»Oder ihr könnt inzwischen Wolle-Ball spielen, um euch die Zeit zu vertreiben«, fügte Tyrannja hinzu. »Hauptsache, ihr seid brav und streitet euch nicht wieder. Wenn wir fertig sind, holen wir euch.«

»Und damit ihr nicht schon vorher guckt und uns und euch selbst den ganzen Spaß verderbt«, fuhr Irrwitzer fort, »werden wir euch solange einsperren.«

Er schloß die Tür und drehte von außen den Schlüssel um. Ihre Schritte entfernten sich.

Jakob Krakel flatterte auf die Lehne des alten Plüschsofas, aus dessen Polster einige Sprungfedern herausragten, weil der Kater zu oft seine Krallen daran geschärft hatte.

»So!« schnarrte er verbittert. »Jetzt sitzen wir da, wir zwei Superspione, und schauen recht treuherzig.«

Maurizio war als erstes auf sein luxuriöses Himmelbettchen zugelaufen, hatte dann aber, obwohl er sich so müde und krank fühlte wie nie zuvor, den heldenhaften Entschluß gefaßt, nicht hineinzugehen. Die Situation war zu ernst, um an ein Nickerchen zu denken.

»Was machen wir denn jetzt?« fragte er ratlos.

»Was wir jetzt machen?« krächzte Jakob. »Einen rührenden Eindruck machen wir, sonst nix! Aus und vorbei is' es mit dem Verhindern. Ich sag's ja,

es wird alles nur immer
noch schlimmer und schlimmer.

Und das is' wahr, weil sich's nämlich reimt. Das wird ein böses Ende nehmen!«

»Warum sagst du das denn dauernd?« beschwerte sich Maurizio.

»Das is' meine Füllosofie«, erklärte Jakob. »Man muß grundsätzlich immer das Allerärgste annehmen, und dann muß man dagegen tun, was man kann.«

»Und was *können* wir tun?« fragte Maurizio.

»Nix«, gab Jakob zu.

Maurizio stand vor dem niedrigen Tischchen, auf dem die süße Sahne und die verschiedenen leckeren Häppchen lockten. Es kostete ihn enorme Überwindung, aber er blieb auch dieser Versuchung gegenüber standhaft, weil er ja nun wußte, welche verhängnisvolle Wirkung dieses Futter auf ihn haben würde.

Eine Weile war es still, nur der Schneesturm pfiff ums Haus.

»Ich sag' dir was, Käterchen«, ließ sich der Rabe schließlich wieder vernehmen, »ich hab' endgültig genug vom Geheimagentenberuf. Das kann niemand von mir verlangen. Das geht über meine Rabenkraft. Ich bleib' nicht mehr dabei. Ich steig' aus.«

»Gerade jetzt?« fragte Maurizio. »Aber das kannst du doch nicht machen!«

»Das kann ich schon«, antwortete Jakob. »Ich mag nicht mehr. Ich möcht' wieder ein ganz normales Landstreicherleben führen wie früher. Ich wollt, ich wär' jetzt bei meiner Ramona im warmen Nest.«

Maurizio setzte sich und schaute zu ihm hinauf.

»Ramona? Warum auf einmal Ramona?«

»Weil sie am weitesten weg is'«, sagte Jakob vergrämt, »und das wär' mir jetzt am liebsten.«

»Weißt du«, fuhr Maurizio nach einer kleinen Weile fort, »ich würde ja auch viel lieber durch ferne Lande ziehen und mit meinen Liedern alle Herzen erweichen. Aber wenn die beiden Schurken heute nacht die Welt zugrunde richten mit ihrer Zauberei, was für ein Minnesängerleben gäbe es da noch? Falls es überhaupt noch Leben gibt.«

»Ja und?« krächzte Jakob zornig. »Was können wir dran ändern? Ausgerechnet wir zwei lausigen armseligen Viecher? Warum kümmert sich sonst niemand drum – da droben im Himmel zum Beispiel? – Eins möcht' ich wirklich mal wissen: Warum haben die Bösen auf der Welt immer so viel Macht, und die Guten haben immer nix – höchstens Reißmatissimus? Das is' nicht gerecht,

Käterchen. Nein, das is' nicht gerecht! Ich hab's satt. Ich tret' jetzt einfach in Streik.«

Und er steckte den Kopf unter den Flügel, um nichts mehr zu hören und zu sehen.

Diesmal blieb es so lange still, daß er schließlich vorsichtig unter dem Flügel hervorlugte und sagte: »Du könntest mir wenigstens widersprechen.«

»Ich muß nachdenken«, antwortete Maurizio, »über das, was du vorher gesagt hast. Bei mir ist das nämlich ganz anders. Meine Urgroßmutter Mia, die eine sehr weise alte Katze war, hat immer gesagt: Wenn du dich für etwas begeistern kannst, dann tu's – und wenn du's nicht kannst, dann schlaf. – Ich muß mich begeistern können, deswegen versuche ich immer, mir die beste von allen Möglichkeiten auszumalen, und dann *dafür* zu tun, was möglich ist. Aber ich habe leider nicht so viel Lebenserfahrung und praktischen Verstand wie du, sonst würde mir jetzt bestimmt doch noch etwas einfallen, was wir tun könnten.«

Der Rabe zog den Kopf unter dem Flügel hervor, öffnete den Schnabel und machte ihn wieder zu. Diese unerwartete Anerkennung von seiten eines berühmten Künstlers aus uraltem Rittergeschlecht machte ihn sprachlos. So etwas war ihm in seinem ganzen windigen Rabenleben noch nicht widerfahren.

Er räusperte sich.

»Hm – also –«, gakelte er, »eins steht jedenfalls fest, solang' wir hier drin sitzen, geht gar nichts. Wir müssen hier 'raus. Fragt sich bloß, wie. Die Tür is' zu. Fällt dir was ein?«

»Vielleicht kann ich das Fenster aufkriegen«, schlug Maurizio eifrig vor.

»Versuch's!«

»Wozu denn?«

»Wir müssen uns auf den Weg machen – einen weiten Weg wahrscheinlich.«

»Wohin denn?«

»Hilfe suchen.«

»Hilfe? Meinst du beim Hohen Rat?«

»Nein, dazu is' es schon zu spät. Bis wir dort wären und der was unternehmen könnte, is' Mitternacht schon vorbei. Dann hat alles keinen Zweck mehr.«

»Wer soll uns denn sonst helfen?«

Jakob kratzte sich nachdenklich mit der Kralle am Kopf.

»Keine Ahnung. Jetzt kann uns wahrscheinlich nur noch ein kleines Wunder retten. Vielleicht hat das Schicksal ein Einsehen, obwohl – viel Verlaß is' da nach meiner Erfahrung nicht drauf. Aber probieren können wir's ja.«

»Das ist wenig«, sagte Maurizio kläglich. »Dafür kann ich mich nicht begeistern.«

Jakob nickte düster.

»Hast recht. Hier is' es wärmer. Bloß – solang' wir hier 'rumhocken, haben wir erst recht keine Schampse.«

Maurizio überlegte einen Augenblick, dann gab er sich einen Ruck, sprang auf das Sims und öffnete mit einiger Anstrengung das Fenster.

Schnee wirbelte herein.

»Also los!« krächzte der Rabe und flatterte hinaus. Er

wurde sofort von einem Windstoß erfaßt und verschwand irgendwo in der Finsternis.

Der kleine dicke Kater nahm seinen ganzen Mut zusammen und sprang hinterher. Er fiel ziemlich tief und plumpste in eine Schneewehe, die über ihm zusammenschlug. Nur mit Mühe strampelte er sich heraus.

»Jakob Krakel, wo bist du?« maunzte er ängstlich.

»Hier!« hörte er die Stimme des Raben in der Nähe.

Bei jeder Art von Zauberei ist es wichtig, daß man nicht nur die richtigen Formeln kennt, das richtige Zubehör beisammen hat und die richtige Handlung im richtigen Augenblick vollzieht, sondern auch, daß man in der richtigen inneren Verfassung ist. Die Stimmung, in der man sich befindet, muß dem Werk entsprechen, das man vorhat. Das ist übrigens bei der bösen Zauberei nicht anders als bei der guten (die es ja natürlich auch gibt, wenngleich heutzutage vermutlich seltener). Um Gutes zu zaubern, muß man sich in eine liebevolle, harmonische Stimmung versetzen, und um Böses zu zaubern in eine haßerfüllte und wüste. Dazu bedarf es in jedem Fall einer gewissen Vorbereitung.

Und genau damit waren Zauberer und Hexe inzwischen beschäftigt.

Das Labor erstrahlte im kalten Glanz zahlloser elektrischer Scheinwerfer, Lämpchen und Leuchten, die aus allen Ecken zuckten, blitzten und flimmerten.

Der Raum war voller Nebelschwaden, denn aus mehreren Räucherbecken quollen dicke, verschiedenfarbige Wolken, die über den Boden krochen und an den Wänden hinaufstiegen, wobei sie allerhand Fratzen und Gesichter bildeten, große und kleine, die sich gleich wieder auflösten, um unverzüglich neue Gestalt anzunehmen.

Irrwitzer saß an seiner Hausorgel und schlug mit weitausholenden Gebärden in die Tasten. Die Pfeifen des Instruments bestanden aus den Knochen totgequälter Tiere, die kleinsten waren Hühnerbeinchen, die größeren von Robben, Hunden und Affen, die größten von Elefanten und Walen.

Tante Tyrannja stand neben ihm und blätterte die Noten um. Es klang ziemlich schauerlich, als sie nun gemeinsam den Choral Nummer CO_2 aus dem *Gesangbuch des Satans* sangen.

Bosheit schlägt die achte Stunde.
Aus des Seelensumpfes Grunde
fluch ich euch, Vernunft und Sinn:
Wahrheit, Weisheit, fahrt dahin!

Lüge stärke meine Worte!
Ausgekocht in der Retorte
zeigt sie's: Täuschung wird die Welt
und was wirklich ist, zerfällt.

Keiner Ordnung sei willfahret,
nicht des Geists, noch der Natur,
denn die Freiheit offenbaret
ganz sich in der Willkür nur.

Weil wir kein Gewissen kennen,
grenzenlos ist unsre Macht:
Weil wir alles machen können,
wird auch alles nun gemacht.

Alle Bande zu zerreißen,
schwören wir zu Anbeginn.
Unsre Wissenschaft soll heißen:
Unsinn, Wahnsinn, Widersinn!

Und nach jeder Strophe folgte noch der Refrain:

Bösen Punsch zu pantschen dann,
schwarzer Zauber, hebe an!

Das war also die sogenannte Einstimmung. Kein Wunder, daß sie dabei die Tiere nicht Zeugen sein lassen wollten. Jedenfalls waren Zauberer und Hexe nun also in der richtigen Laune für ihr Werk.

»Als erstes«, erklärte Irrwitzer, »müssen wir jetzt das geeignete Gefäß für den satanarchäolügenialkohöllischen Wunschpunsch herstellen.«

»Herstellen?« fragte Tyrannja. »Hast du denn nicht mal eine Punschterrine in deinem Junggesellenhaushalt?«

»Liebes Tantchen«, sagte Irrwitzer herablassend, »du hast wirklich keine Ahnung von alkohöllischen Getränken. Keine Punschterrine der Welt – selbst wenn sie aus einem einzigen Diamanten geschliffen wäre – könnte der Prozedur standhalten, die dazu erforderlich ist. Sie würde zerspringen oder schmelzen oder einfach verdampfen.«

»Was machen wir denn da?«

Der Zauberer lächelte gönnerhaft.

»Schon mal was von *Kaltem Feuer* gehört?«

Tyrannja schüttelte den Kopf.

»Na, dann paß mal auf«, sagte Irrwitzer. »Da kannst du was lernen, Tyti.«

Er ging zu einem Regal und holte eine Art überdimensionale Spraydose heraus, damit trat er zum Kamin, in dem das Feuer in diesem Augenblick hoch aufloderte. Während er nun etwas Unsichtbares in die Flammen zischen ließ, sprach er:

»Flammen, Glut- und Luftgebilde,
regsam in der Zeit allein,
eure heiße, zuckend-wilde
Tanzbewegung ist nur Schein.

Kleid der Salamander-Gilde,
durch der Gegenzeit Gewalt,
Flammen, Glut- und Luftgebilde,
werdet hart und werdet kalt!«

Im gleichen Augenblick hörte das Feuer auf zu flackern, es blieb stehen – völlig bewegungslos – und sah nun aus wie eine sonderbare große Pflanze mit vielen grünleuchtenden, gezackten Blättern.

Irrwitzer griff mit bloßen Händen hinein und pflückte ein Blatt nach dem anderen ab, bis er den ganzen Arm voll hatte. Kaum war er damit fertig, flackerte ein neues Feuer im Kamin auf und tanzte wie zuvor.

Der Zauberer ging zum Tisch in der Mitte des Labors und setzte dort die starren, glasig-grünen Blätter zusammen wie Teile eines Puzzle-Spiels. Wo die gezackten Ränder genau zusammenpaßten, verschmolzen sie im Nu zu einem einzigen Stück. (In *jedem* Feuer bilden die verschiedenartigen Flammenformen – wenn sie zusammengefügt würden – immer ein Ganzes, nur ändern sich diese Formen eben ständig und zwar so schnell, daß man es mit dem normalen Auge nicht beobachten kann.)

Sehr rasch entstand unter Irrwitzers kundigen Händen eine flache Schale, dann setzte er Seitenwände an, bis schließlich ein rundes, großes Goldfischglas von etwa einem Meter Höhe und dem selben Durchmesser entstanden war. Es glühte in grünlichem Licht und sah irgendwie unwirklich aus.

»So«, sagte der Zauberer und wischte sich die Finger

an seinem Schlafrock ab, »das hätten wir. Sieht gut aus, findest du nicht?«

»Und du meinst, das hält?« fragte die Hexe. »Hundertprozentig?«

»Worauf du dich verlassen kannst«, antwortete er.

»Beelzebub Irrwitzer«, sagte Tyrannja mit einer Mischung aus Neid und Respekt, »wie hast du das gemacht?«

»Solche wissenschaftlichen Prozesse wirst du wohl kaum verstehen, Tantchen«, erwiderte er. »Wärme und Bewegung gibt es nur in der positiv verlaufenden Zeit. Wenn man negative Augenblicke, sogenannte Antizeit-Partikel, darüber stäubt, dann heben sie sich gegenseitig auf und das Feuer wird starr und kalt, wie du gesehen hast.«

»Kann man es anfassen?«

»Selbstverständlich.«

Die Hexe strich vorsichtig mit der Hand über die Oberfläche des Riesenglases. Dann fragte sie: »Könntest du mir das beibringen, Bubi?«

Irrwitzer schüttelte den Kopf.

»Betriebsgeheimnis!«

Der Tote Park, der die Villa Alptraum umgab, war nicht besonders groß. Obwohl er mitten in der Stadt lag, hatte ihn kaum einer der Bewohner der Umgebung je zu Gesicht bekommen, denn er war von einer drei Meter hohen Steinmauer umgeben.

Aber Zauberer können auch unsichtbare Hindernisse errichten, die zum Beispiel aus Vergessen bestehen, oder Traurigkeit oder Verwirrung. So hatte Irrwitzer außerhalb der Steinmauer auch noch eine unsichtbare Barriere aus Angst und Schrecken um seinen Besitz errichtet, die jeden Neugierigen dazu bewog, lieber rasch weiterzugehen und sich nicht um das, was hinter der Mauer lag, zu kümmern.

Nur an einer Stelle gab es ein hohes Tor aus verrostetem Eisengitter, aber auch dort konnte man nicht in den Park hineinspähen, weil der Blick durch eine dichte, verfilzte Hecke aus schwarzem Riesendorn verstellt wurde. Dieses Tor benützte Irrwitzer, wenn er mit seinem Magomobil ausfuhr – was freilich selten genug vorkam.

Der Tote Park hatte einstmals – als er noch nicht so hieß – aus einer Menge wunderschöner großer Bäume und malerischer Buschgruppen bestanden, aber jetzt waren sie alle kahl – und nicht nur, weil Winter war. Der Zauberer hatte jahrzehntelang seine wissenschaftlichen Experimente an ihnen gemacht, hatte ihr Wachstum manipuliert, ihre Fortpflanzungskräfte verkrüppelt, ihre Lebenssubstanzen abgezapft, bis er sie langsam einen nach dem anderen zu Tode gemartert hatte. Jetzt reckten sie nur noch dürre, verkrümmte Äste in den Himmel, als hätten sie vor ihrem Ende mit schmerzlichen Gebärden um Hilfe gerufen, doch niemand hatte ihren stummen Schrei gehört. Vögel gab es schon lange nicht mehr in diesem Park, auch im Sommer nicht.

Der kleine dicke Kater stapfte durch den tiefen Schnee, und der Rabe hüpfte und flatterte neben ihm her, wobei er vom Wind ab und zu einfach umgeblasen wurde. Beide schwiegen, denn sie brauchten ihre ganze Kraft, um sich vorwärts zu kämpfen.

Die hohe Steinmauer wäre für Jakob kein Problem gewesen, wohl aber war sie es für Maurizio. Doch der erinnerte sich an das Gittertor, durch welches er seinerzeit hereingekommen war. Sie schlüpften zwischen den verschnörkelten Eisenstäben durch.

Auch die unsichtbare Barriere aus Angst machte ihnen keine besonderen Schwierigkeiten, denn sie war speziell gegen Menschen konstruiert und bestand aus Gespensterfurcht; das heißt, daß selbst eingefleischte Zweifler, wenn sie in diese Zone gerieten, plötzlich an Geister glaubten und Reißaus nahmen.

Auch die meisten Tiere fürchten sich vor Gespenstern – aber Kater und Raben am wenigsten.

»Sag mal, Jakob«, fragte Maurizio leise, »glaubst du, daß es Geister gibt?«

»Klar«, antwortete Jakob.

»Hast du schon mal einen gesehen?«

»Nicht persönlich«, sagte Jakob, »aber meine ganze Verwandtschaft ist in früheren Zeiten immer auf den Galgen 'rumgehockt, wo die Aufgehängten gebaumelt haben. Oder sie haben auf den Dächern von Spukschlössern genistet. Jedenfalls gab's da Geister jede Menge, gab's da. Aber unsereins hat nie Ärger mit ihnen gekriegt. Da is' mir nix bekannt. Im Gegenteil, mit manchen waren meine Leute sogar ganz gut befreundet.«

»Ja«, sagte Maurizio tapfer, »bei meinen Ahnen war es genauso.«

Damit hatten sie die unsichtbare Barriere hinter sich und waren nun auf der Straße.

Die Fenster der hohen Häuser waren festlich erleuchtet, denn überall feierten die Menschen Sylvester oder bereiteten sich auf das vergnügte Fest vor. Nur wenige Autos waren noch unterwegs, und noch seltener sah man einen Fußgänger, den Hut tief ins Gesicht gedrückt, eiligen Schrittes irgendwohin streben.

Niemand in der ganzen Stadt ahnte das Unheil, das sich in der Villa Alptraum vorbereitete. Und niemand bemerkte den kleinen dicken Kater und den zerrupften Raben, die sich auf den Weg ins Ungewisse gemacht hatten, um Rettung zu suchen.

Anfangs überlegten sich die beiden, ob sie sich nicht einfach an einen der Vorübergehenden wenden sollten, aber sie kamen rasch wieder davon ab, denn erstens war es sehr unwahrscheinlich, daß ein normaler Mensch ihr Miauen und Krächzen überhaupt verstehen würde (möglicherweise würde er sie nur mitnehmen und in einen Käfig sperren), und zweitens wußten sie, daß es sowieso kaum irgendeine Hoffnung auf Erfolg gab, wenn Tiere Menschen um Hilfe baten. Das hatte sich ja zur Genüge erwiesen. Selbst wenn es im eigenen Interesse der Menschen gelegen hatte, auf die Hilferufe der Natur zu hören, waren die Menschen taub geblieben. Sie hatten die blutigen Tränen vieler Tiere gesehen – und einfach weitergemacht wie bisher.

Nein, von den Menschen war keine raschentschlossene Rettung zu erwarten. Aber von wem dann? Jakob und Maurizio wußten es nicht. Sie gingen einfach immer weiter und weiter. Auf der glattgeräumten Straße war es etwas leichter, trotzdem kamen sie nur langsam gegen den Schneesturm vorwärts, der ihnen ins Gesicht blies. Aber wer nicht weiß wohin, der hat es ja natürlich auch nicht besonders eilig.

Nachdem sie eine ganze Weile schweigend nebeneinanderher gelaufen waren, sagte Maurizio leise: »Jakob, vielleicht sind das unsere letzten Lebensstunden. Darum muß ich dir unbedingt etwas sagen. Ich hätte nie geglaubt, daß ich mich einmal mit einem Vogel anfreunden würde, obendrein mit einem Raben. Aber jetzt bin ich stolz darauf, daß ich einen so klugen und lebenserfahrenen Freund wie dich gefunden habe. Ganz ehrlich, ich bewundere dich.«

Der Rabe räusperte sich ein wenig verlegen und antwortete dann mit rauher Stimme: »Ich hätt' auch nie gedacht, daß ich mal einen echten Kumpel haben würde, der ein berühmter Künstler is' und obendrein auch noch so ein feiner Pinkel. Ich kann das nicht so richtig ausdrücken. Gute Manieren und vornehme Wörter hat mir keiner nicht beigebracht. Weißt du, ich bin halt bloß ein ganz gewöhnlicher Vagabund, mal hier, mal da, und hab' mich so irgendwie durchgeschlagen im Leben. Ich bin nicht so gebildet wie du. Das windschiefe Rabennest, wo ich aus dem Ei gekrochen bin, war ein ganz gewöhnliches Rabennest, und meine Eltern waren ganz gewöhnliche Rabeneltern – sehr gewöhnliche sogar. Mich hat nie wer besonders leiden mögen, nicht mal ich selbst. Und musikalisch bin ich schon gar nicht. Ich hab' nie keine schönen Lieder gelernt. Aber ich stell' mir's großartig vor, wenn man sowas kann.«

»Ach, Jakob, Jakob«, rief der kleine Kater und hatte Mühe, sich nicht anmerken zu lassen, daß er nahe am Weinen war, »ich stamme ja überhaupt nicht aus einem alten Rittergeschlecht, und meine Vorfahren waren auch nicht aus Neapel. Ehrlich gesagt, ich weiß nicht mal genau, wo das überhaupt ist. Und ich heiße auch nicht Maurizio di Mauro, das hab' ich mir bloß ausgedacht. In Wirklichkeit heiße ich Moritz – einfach bloß Moritz. Du weißt wenigstens, wer deine Eltern waren – ich weiß nicht einmal das, weil ich in einem feuchten

Kellerloch unter lauter streunenden, verwilderten Katzen aufgewachsen bin. Da hat mal die eine, mal die andere Mutter gespielt, wie's eben grade so kam und wer grade Lust hatte. Die anderen Katzenkinder waren alle immer viel stärker als ich, wenn's ums Futter ging. Darum bin ich so klein geblieben und mein Appetit so groß. Und ein berühmter Minnesänger bin ich erst recht nie gewesen. Ich hab' noch nie eine schöne Stimme gehabt.«

Es war eine Weile still.

»Warum hast du's dann erzählt?« fragte Jakob nachdenklich.

Der Kater überlegte.

»Ich weiß auch nicht recht«, gab er zu. »Es war eben der Traum meines Lebens, verstehst du? Ich wäre so gern ein berühmter Künstler geworden – groß und schön und elegant, mit einem seidigen, weißen Pelz und einer wundervollen Stimme. Eben einer, den alle lieben und bewundern.«

»Hm«, machte Jakob.

»Es war eben nur ein Traum«, fuhr der kleine Kater fort, »und ich habe eigentlich immer gewußt, daß er nie Wirklichkeit werden kann. Deswegen habe ich einfach so getan, als ob alles wahr wäre. Meinst du, das war eine große Sünde?«

»Keine Ahnung«, schnarrte Jakob, »von Sünden und solchem frommen Zeugs versteh' ich nix.«

»Aber du – bist du mir jetzt böse deswegen?«

»Böse? Ach Quatsch – ein bißchen plem-plem find' ich

dich. Aber das macht nix. Du bist trotzdem ganz in Ordnung.«

Und für einen Augenblick legte der Rabe seinen zerrupften Flügel um den Freund.

»Und wenn ich mir's überleg'«, fuhr er dann fort, »gefällt mir der Name Moritz eigentlich nicht so übel, im Gegenteil.«

»Nein, ich meine, weil ich doch überhaupt kein berühmter Sänger bin.«

»Wer weiß«, sagte der Rabe tiefsinnig, »ich hab's schon erlebt, daß Lügen nachträglich wahr geworden sind – und dann waren's gar keine.«

Moritz blickte seinen Weggefährten ein wenig unsicher von der Seite an, weil er nicht ganz verstanden hatte, was der meinte.

»Glaubst du, ich könnte es noch werden?« fragte er mit großen Augen.

»Wenn wir lang genug leben ...«, antwortete Jakob, mehr für sich.

Der kleine Kater fuhr aufgeregt fort: »Ich habe dir doch schon von Oma Mia erzählt, der alten, weisen Katze, die so viele geheimnisvolle Dinge wußte. Sie wohnte auch bei uns im Kellerloch. Jetzt ist sie schon lange beim Großen Kater im Himmel, wie alle anderen, außer mir. Kurz ehe sie starb, hat sie mir etwas gesagt: ›Moritz‹, sagte sie, ›wenn du wirklich jemals ein großer Künstler werden willst, dann mußt du alle Höhen und Tiefen des Lebens kennenlernen; denn nur wer die kennt, kann alle Herzen erweichen.‹ Ja, das hat sie gesagt. Aber verstehst du, was sie damit gemeint hat?«

»Na«, antwortete der Rabe trocken, »die Tiefen hast du ja nun schon so ziemlich erlebt.«

»Meinst du?« fragte Moritz erfreut.

»Klar«, krächzte Jakob, »viel tiefer geht's ja wohl kaum mehr, Käterchen. Jetzt fehlen dir bloß noch die Höhen.«

Und schweigend wanderten sie weiter durch Schnee und Wind.

Fern am Ende der Straße ragte der Turm des großen Münsters in den nächtlichen Himmel.

Inzwischen war im Labor die Arbeit bereits in vollem Gang.

Als erstes ging es darum, die verschiedenen Substanzen zusammenzusuchen, die zur Herstellung des satanarchäolügenialkohöllischen Wunschpunsches erforderlich waren. Der lange Pergamentstreifen lag auf dem Fußboden ausgerollt und war mit Bücherstapeln beschwert, damit er sich nicht wieder zusammenwickelte.

Nachdem Irrwitzer und Tyrannja noch einmal gründlich die Gebrauchsanweisung am Anfang durchstudiert hatten, fingen sie nun mit dem eigentlichen Rezept an. Beide standen über den Text gebückt und entzifferten, was da geschrieben stand. Das wäre für Nicht-Zauberer ganz unmöglich gewesen, denn es handelte sich um eine ungeheuer komplizierte Geheimschrift, den sogenannten Infernal-Code. Doch dessen Entschlüsselung beherrschten sie beide aus dem FF. Außerdem waren die Angaben über die nötigen Grundsubstanzen anfangs noch relativ leicht verständlich.

In unserer Schrift geschrieben lautete der Beginn des Rezeptes folgendermaßen:

> Vierfach fließen durch die Hölle
> Flüsse, dunkler Qualen Quelle:
> Der Cocytus, Acheron,
> Styx und Pyriphlegeton.
> Eis und Feuer, Gift und Schlamm,
> nimm davon je hundert Gramm.
> Mix' im Shaker flott und flink
> Lügenpunsches Basis-Drink.

Wie jeder gut ausgerüstete Labor-Zauberer hatte auch Irrwitzer alle vier Substanzen in ausreichender Menge vorrätig. Während er sie zusammensuchte und dann andächtig in einem Spezialshaker mixte, las Tyrannja den nächsten Punkt vor:

Jetzo brauchst du flüssiges Geld:
Leg zehntausend Taler fest,
die du auf der ganzen Welt
armen Leuten abgepreßt.
Flüssig mache nur den Zins –
dreieinviertel Liter sind's.
Schütte sie ins Glas hinein,
wahre den gesetzlichen Schein!

Wie man Geld flüssig machte, war der Hexe selbstverständlich bekannt. Binnen kurzem glänzten die dreiviertel Liter im Punschglas aus Kaltem Feuer. Ein goldener Schein verbreitete sich im Raum.

Nun goß Irrwitzer seine Höllenflüssigkeit aus dem Shaker dazu, und das Leuchten erlosch. Schwarz wie die Nacht war nun der Sud, aber da und dort durchzuckten ihn Blitze, die wie pochende Adern aussahen und sogleich wieder verschwanden.

Die dritte Anweisung lautete:

Krokodilstränen mußt du vergießen
in reichlicher Menge (soviel du vermagst),
und lasse sie tropfenweis fließen,
indem du dein Opfer beklagst.
Nach kräftiger Rührung (doppelt gemeint)
misch den geweinten Wein
in die vorige Mischung hinein,
bis sich beides völlig vereint.

Das war nun natürlich schon etwas schwieriger, denn böse Zauberer und Hexen können ja, wie schon gesagt wurde, keine Tränen vergießen – nicht einmal falsche. Aber hier wußte nun wieder Irrwitzer Rat.

Er erinnerte sich nämlich, daß er mehrere Flaschen eines besonders ertragreichen Jahrgangs solcher Krokodilstränen in seinem Keller gelagert hatte. Ein gewisses Staatsoberhaupt, das zu Irrwitzers Vorzugskunden gehörte, hatte sie ihm vor Zeiten zum Geschenk gemacht. Er holte die Flaschen herauf – es waren sieben Stück – und nachdem er deren Inhalt in das schwarze Gebräu gegossen und heftig umgerührt hatte, verfärbte sich die Flüssigkeit abermals und wurde nach und nach rot wie Blut.

So ging es immer weiter, einmal wußte Irrwitzer, was zu tun war, das andere Mal Tyrannja. Von ihrem gemeinsamen bösen Willen beflügelt, arbeiteten sie so mühelos zusammen, als hätten sie nie im Leben etwas anderes getan.

Nur einmal kam es doch noch zum Streit, nämlich als sie zu einer Stelle kamen, die folgendermaßen lautete:

> Nimm vom Hirnschmalz eine Menge
> (miß genau und irre nicht!),
> die exakt der halben Länge
> deiner Lieblingsfarb' entspricht.

Wie man die Länge einer Farbe mißt, war ihnen beiden durchaus klar, da lag nicht das Problem. Die Uneinigkeit entstand über der Frage, *wessen* Lieblingsfarbe hier gelten sollte. Tyrannja bestand darauf, daß es die ihre sein müsse, weil der Teil der Pergamentrolle, auf dem diese Anweisung stand, ihr gehörte. Irrwitzer dagegen versteifte sich darauf, daß es sich nur um seine Lieblingsfarbe handeln könne, da das ganze Experiment in seinem Labor stattfand. Wahrscheinlich wären sie über diesen Punkt nicht so bald einig geworden, wenn sich nicht zu ihrer beider Erleichterung herausgestellt hätte, daß die Hälfte von Schwefelgelb ganz genau gleich lang war wie die Hälfte von Giftgrün. So löste sich auch diese Frage.

Nun wird gewiß niemand ernstlich erwarten, hier die ganze Liste aller Zutaten abgedruckt zu finden, die zur Bereitung des satanarchäolügenialkohöllischen Wunschpunsches erforderlich sind. Der Grund, darauf besser zu verzichten, liegt nicht nur darin, daß eine solche vollständige Liste diese Geschichte über Gebühr in die Länge ziehen würde (immerhin war die Rezeptrolle ja etwa fünf Meter lang), sondern viel mehr noch in einer wohlbegründeten Sorge: Es ist ja niemals vorherzusehen, in wessen Hände ein Buch wie dieses hier geraten wird, und es soll niemand in Versuchung geführt werden, sich möglicherweise selbst an das Brauen dieses diabolischen Getränks zu machen. Es gibt sowieso schon viel zu viele Leute vom Schlage Irrwitzers und Tyrannjas auf der Welt. Der vernünftige Leser wird deshalb um Verständnis dafür gebeten, daß hier der größte Teil der Angaben übersprungen werden muß.

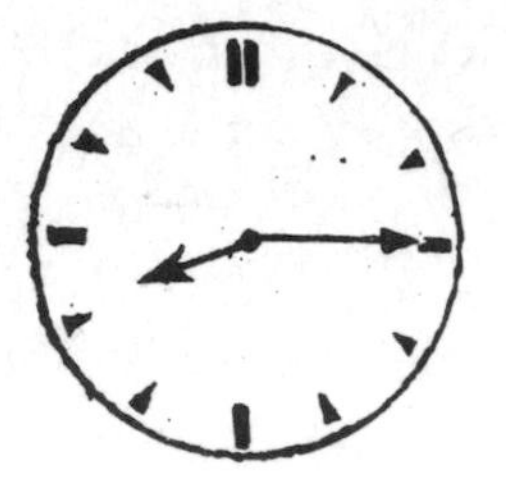

Jakob Krakel und Moritz saßen zu Füßen des Münsterturms, der sich wie eine riesenhafte, vielfach gezackte Gebirgswand in den Nachthimmel erhob. Beide hatten den Kopf weit in den Nacken gelegt und blickten schweigend empor.

Nach einer Weile räusperte sich der Rabe.

»Da oben«, sagte er, »hat früher einmal eine Schleiereule gewohnt, mit der ich bekannt gewesen bin. Nonne Bubu hat sie geheißen. Nette alte Dame. Bißchen verrückte Ansichten hat sie gehabt über Gott und die Welt, deswegen hat sie lieber ganz allein gehaust und is' nur nachts ausgegangen. Sie wußte aber eine Menge Sachen. Wenn sie noch da wär', könnte man sie jetzt um Rat fragen.«

»Wo ist sie denn jetzt?« fragte der Kater.

»Keine Ahnung. Sie is' ausgewandert, weil sie den Smog nicht mehr vertragen hat. Sie war schon immer ein bißchen zimperlich. Vielleicht lebt sie auch schon längst nicht mehr.«

»Schade«, sagte Moritz. Und nach einer Weile fügte er hinzu: »Vielleicht hat sie auch das Glockenläuten gestört. Da oben, so aus der Nähe, muß es ja unerhört laut sein.«

»Glaub' ich kaum«, meinte Jakob, »das hat noch nie keine Eule gestört, das Glockenläuten.«

Und dann wiederholte er noch einmal nachdenklich: »Das Glockenläuten ... warte mal ... das Glockenläuten ...«

Plötzlich hopste er in die Höhe und kreischte aus vollem Hals: »Das is' es! Ich haaaab's!«

»Was denn?« fragte Moritz ganz erschrocken.

»Nix«, antwortete Jakob, schon wieder kleinlaut, und zog den Kopf zwischen die Flügel, »es geht nicht. Hat keinen Zweck. War Quatsch. Vergiß es.«

»Was denn? Sag's doch!«

»Ach, mir is' da bloß grad' so eine Idee gekommen.«

»Was denn für eine?«

»Naja, ich hab' mir gedacht, daß man die Sylvesterglocken einfach schon vorher läuten könnte, jetzt gleich, verstehst du. Das würde doch dann die Umkehrwirkung von dem Zauberpunsch aufheben. Die haben doch selber gesagt, daß schon der erste kleine Ton vom Neujahrsläuten dafür genügt. Erinnerst du dich? Dann würde bei denen ihrer verlogenen Wünscherei lauter Gutes herauskommen, hab' ich mir gedacht.«

Der kleine Kater starrte den Raben an. Es dauerte ein Weilchen, bis er begriffen hatte, aber dann begannen seine Augen zu glühen.

»Jakob«, sagte er ehrfürchtig, »Jakob Krakel, alter Freund, ich glaube, du bist wahrhaftig ein Genie. Das ist die Rettung! Ja, dafür kann ich mich ehrlich begeistern.«

»Schön wär's«, schnarrte Jakob grämlich. »Bloß gehen tut's nicht.«

»Aber warum denn nicht?«

»Na, wer bitte schön soll die Glocken denn läuten?«

»Wer? Du natürlich! Du fliegst jetzt einfach zur Turmspitze hinauf und läutest. Das ist doch ein Kinderspiel.«

»Ja, Husten!« krächzte der Rabe. »Ein Kinderspiel, meint der! Vielleicht für Riesenkinder. Hast du schon mal solche Kirchenglocken gesehen, mein lieber Schieber?«

»Nein.«

»Eben! Die sind nämlich so groß und schwer wie ein Lastwagen. Glaubst du vielleicht, ein Rabe kann einen Lastwagen schaukeln, noch dazu wenn er Reißmatissimus hat?«

»Gibt's denn nicht auch kleinere Glocken? Es ist doch gleich welche.«

»Hör zu, Moritz, sogar die kleinste is' immer noch so schwer wie ein Weinfaß.«

»Dann müssen wir's eben zu zweit versuchen, Jakob. Zu zweit schaffen wir's bestimmt. Komm doch! Worauf wartest du?«

»Wo willst du denn hin, du verrückter Kater?«

»Wir müssen in den Turm hinein, dorthin, wo die Glockenseile hängen. Wenn wir zu zweit mit aller Kraft dran ziehen, wird's bestimmt gehen.«

Moritz, entflammt von seiner Begeisterung für große Taten, rannte los und suchte nach einer Eingangstür ins Innere des Münsterturmes. Jakob flatterte fluchend und schimpfend hinterdrein und versuchte ihm begreiflich zu machen, daß heutzutage nirgends mehr die Glocken mit Seilen und per Hand geläutet würden, sondern durch Elektromotoren und per Knopfdruck.

»Um so besser«, antwortete Moritz, »dann brauchen wir ja nur den Knopf zu finden.«

Doch diese Hoffnung erwies sich als vergeblich. Die einzige Eingangstür in den Münsterturm war verschlossen. Der kleine Kater hängte sich an die große Eisenklinke – umsonst!

»Na bitte, was hab' ich gesagt!« meinte der Rabe. »Gib's auf, Käterchen. Was nicht geht, geht halt nicht.«

»Es geht!« sagte Moritz wild entschlossen. Er blickte am Turm hinauf. »Wenn nicht von innen, dann eben von außen.«

»Was heißt das?« kreischte Jakob entsetzt. »Willst du vielleicht außen an diesem Turm hochkraxeln? Und bei dem Wind? Bei dir piept's wohl!«

»Weißt du was Besseres?« fragte Moritz.

»Ich weiß jedenfalls eins«, antwortete der Rabe, »nämlich daß das ganz schlicht und einfach der gerupfte Wahnsinn is'. Und glaub' bloß nicht, daß ich bei sowas auch noch mitmach'.«

»Dann muß ich's allein schaffen«, sagte Moritz.

Das riesige Glas aus Kaltem Feuer war inzwischen bis zum Rand gefüllt. Die Flüssigkeit in seinem Inneren zeigte jetzt eine violette Färbung. Sie war zwar aus den absonderlichsten Ingredienzien zusammengemischt, aber noch weit davon entfernt, ein Wunschpunsch zu sein. Dazu mußte sie nun magisiert werden, das heißt, sie mußte einer ganzen Serie von Prozeduren unterworfen werden, die sie instand setzten, die eigentlichen dunklen Zauberkräfte in sich aufzunehmen.

Das war der vorwiegend wissenschaftliche Teil der Arbeit und fiel in Beelzebub Irrwitzers Kompetenz. Die Geldhexentante konnte ihm dabei nur mehr oder weniger als Handlangerin dienen.

Der Text, um den es hier ging, war in der Fachsprache der Laborzauberer abgefaßt und selbst für Tyrannja nahezu unverständlich. Er lautete:

Man nehme kathotyme Phleben
und katafalkes Polyglom,
und lasse beides zyklisch schweben
in dramoliertem An-Atom.

Durch schlemihlierte Ektoplasen
purgiert sich schismothymes Myrth,
das wiederum mit Antigasen
zum Prosten alkoholisiert.
Basierend auf humanem Morchel
aus ungeflaxtem Proklamat
tingiert der aziphere Schnorchel
gratinisch mit dem Thermostat.
Konjekturiert die Unglykose
sodann auf Säureparität,
ballonisiert sich die Sklerose
zur Hoch-Promille-Qualität;
doch ist die Dosis nicht halunkisch
durch ganoviertes Krimminol,
bleibt die komplexe Drexe flunkisch
als unstabiler Ulkohol.
Drum achte man aufs Hirngebläse
beim diabolischen Kontarkt,
denn scheuert die Schimären-Fräse,
dann schnibbelt leicht der Sadofarkt.
Ist dies erfyllt, so byllt sich thymisch
Galaxenparalaxenwachs
in pyromanem Salz alchymisch
als asdrubales Minimax.
......

In dieser Art ging es noch lange weiter.

Irrwitzer hatte alle seine magischen Computer, die an den höllischen Zentralgroßrechner angeschlossen waren, in Gang gesetzt und fütterte sie mit den nötigen Informationen. Sie arbeiteten – wenn man das von elektronischen Apparaten so sagen darf – unter Volldampf, zirpten, piepsten, rasselten, blinkten und spuckten Formeln und Diagramme aus, die dem Zauberer sagten, was er mit der Flüssigkeit im Punschglas als nächstes zu tun hatte.

Einmal zum Beispiel mußte er ein Antigravitationsfeld aufbauen, um völlige Schwerelosigkeit zu erzielen. Dadurch konnte er das ganze Gebräu aus dem Gefäß herausheben. Die Flüssigkeit schwebte als ein großer, leicht wabbelnder Ball mitten im Raum, und Irrwitzer konnte sie so mit einer geballten Ladung von Perversionsteilchen beschießen, die das Glas aus Kaltem Feuer nicht durchgelassen hätte.

Allerdings wurden er selbst und auch die Tante während dieser Phase von der Schwerelosigkeit ergriffen, was die Arbeit bedeutend erschwerte. Er schwebte nämlich mit dem Kopf nach unten an der Decke des Labors, während Tyrannja waagrecht in der Luft um ihre eigene Achse rotierte. Doch schaffte er es, nach gelungenem Beschuß, den Antigravitations-Generator wieder abzustellen, wodurch der Flüssigkeitsball in sein Gefäß zurückplatschte, Tante Tyti und er selbst aber ziemlich schmerzhaft auf den Boden knallten.

Doch solche Vorkommnisse sind bei derartig riskanten Experimenten fast unvermeidlich und beeinträchtigten den Feuereifer der beiden kaum.

Ein wenig später ereignete sich jedoch ein unvorher-

gesehener und selbst für den Zauberer und die Hexe ziemlich erschreckender Zwischenfall: Die Flüssigkeit im Punschglas wurde nämlich plötzlich *lebendig.*

Es gibt einzellige Lebewesen, Amöben genannt, die normalerweise so winzig sind, daß man sie nur unter dem Mikroskop sehen kann. In diesem Fall aber verwandelte sich der ganze Inhalt der gläsernen Terrine in eine einzige, riesenhafte Amöbe, die das Gefäß verließ und als große, gelatineartige Pfütze über den Boden des Labors dahinkroch. Tante und Neffe zogen sich vor ihr zurück und flohen schließlich in verschiedene Richtungen. Daraufhin spaltete sich der gigantische Einzeller in zwei, und jedes Teil schlabberte hinter einem der beiden her, in der offenkundigen Absicht, sie sich einzuverleiben. Nur mit List und Mühe gelang es dem Zauberer und der Hexe, die zwei Teile ins Punschglas zurückzulocken, wo sie sogleich heißhungrig übereinander herfielen und sich gegenseitig auffraßen. Damit waren sie wieder nur Flüssigkeit, und die Gefahr war gebannt.

Schließlich war der Prozeß der Magisierung abgeschlossen. Die Substanz im Gefäß sah jetzt spiegelnd und undurchsichtig aus wie Quecksilber. Sie war nun bereit, jede Zauberkraft in sich aufzunehmen, in diesem Fall also die geheimnisvolle Fähigkeit, alle Wünsche in Erfüllung gehen zu lassen.

Moritz war auf ein niedriges Vordach über dem Seiteneingang gesprungen, von dort auf das größere Dach über dem Hauptportal, dann kletterte er auf ein spitzes Türmchen voller Steinknubbel und setzte von dessen Spitze aus mit einem gewagten Sprung auf ein Gesims über. Um ein Haar wäre er dort abgerutscht, weil es voller Schnee und Eis lag, aber es gelang ihm gerade noch, das Gleichgewicht zu halten.

Der Rabe flatterte zu ihm hinauf.

»Jetzt reicht's!« sagte er heiser. »Komm da sofort wieder runter, hörst du! Du wirst dir noch alle Knochen brechen. Du bist viel zu fett und hast überhaupt keine Kondition für sowas.«

Aber der Kater kletterte weiter.

»Hach«, schrie Jakob wütend, »ich könnt' mir meine letzten Federn ausreißen, weil ich nicht den Schnabel gehalten hab'. Hast du denn wirklich kein Gramm Hirn in deinem blöden Katzenkopf drin? Wenn ich dir doch sag', daß es keinen Sinn hat. Die Glocken da oben sind auch für uns beide zusammen viel zu schwer.«

»Das wird sich zeigen«, war die unerschütterliche Antwort des Katers.

Er kletterte weiter und immer weiter. Je höher er kam, desto erbarmungsloser pfiff ihm der Sturm um die Ohren.

Er war schon oberhalb der großen Rosette über dem Hauptportal angelangt, als er fühlte, wie seine Kräfte ganz plötzlich nachließen. In seinem Kopf drehte sich alles. Er war ja von vornherein nicht gerade in sportlicher Verfassung gewesen, aber nun begann sich auch noch der Aufenthalt in der Giftmülltonne deutlich bemerkbar zu machen.

Als er auf einen Wasserspeier hinübersprang, der einen grinsenden, spitzohrigen Teufel darstellte, rutschte er langsam aber unaufhaltsam ab. Er wäre ganz sicher in die Tiefe gestürzt – und die war jetzt sogar für eine geübte Katze bereits tödlich –, wenn Jakob nicht herbeigeflattert wäre und ihn im letzten Augenblick am Schwanz festgehalten hätte.

Keuchend und zitternd drückte sich der kleine Kater an die Wand, um Schutz vor dem eisigen Wind zu finden, und versuchte, seine gefühllos gewordenen Pfoten aufzuwärmen.

Der Rabe setzte sich vor ihn hin.

»So!« sagte er. »Und jetzt mal ganz im Ernst: Selbst wenn du's schaffst, bis ganz nach oben zu den Glocken zu kommen – und das kannst du einfach nicht schaffen –, dann hat's trotzdem keinen Zweck. Benütz' doch bitte ein einziges Mal in deinem Leben deinen Grips,

Freundchen! Nehmen wir mal an, wir zwei bringen's tatsächlich fertig, die Glocken zu läuten – was wie gesagt total unmöglich is' – dann täten dein Maestro und meine Madam das doch natürlich auch hören. Und wenn sie's hören, dann kriegen sie doch sofort spitz, daß die Umkehrwirkung von ihrem Gesöff aufgehoben is'. Na und? Auf die können sie doch jetzt leicht verzichten. Die war doch nur dazu da, um uns damit zu täuschen. Wenn wir jetzt aber gar nicht mehr dabei sind, dann brauchen sie die Umkehrwirkung doch überhaupt nicht. Dann wünschen sie eben nach Herzenslust lauter Böses, was dann wörtlich in Erfüllung geht. Sie brauchen sich ja keinen Zwang mehr anzutun, weil wir sie nicht mehr stören. Oder hast du dir vielleicht eingebildet, du kannst nachher den ganzen Turm wieder runterklettern, den ganzen Weg wieder zurücklaufen und trotzdem noch rechtzeitig bei der Party sein? Wie stellst du dir das eigentlich vor? Weißt du, was mit dir sein wird? Aus wird es mit dir sein! Jämmerlich draufgehen wirst du – und zwar für nix und wieder nix. Das is' alles, was sein wird.«

Aber Moritz hörte nicht zu. Die Stimme des Raben drang irgendwie aus weiter Ferne an sein Ohr, aber er fühlte sich viel zu krank und zu erschöpft, um so komplizierte Gedankengänge mitzudenken. Er wußte nur noch eins: Nach oben war es jetzt genauso weit wie nach unten, und er wollte nach oben, weil er es so beschlossen hatte – ob es sinnvoll war oder nicht. Sein Schnurrbart war eisverkrustet, der schneidende Wind trieb ihm Tränen in die Augen, aber er kletterte weiter.

»He!« schrie ihm der Rabe erbittert nach. »Eins sag' ich dir: *Ich* helf' dir von jetzt an nicht mehr. Wenn du dich umbringen willst, dann tu's allein. Ich hab' nix für Helden übrig, ich hab' Reißmatissimus, und ich hab' deine Dickschädeligkeit endgültig satt, daß du's nur weißt. Ich hau jetzt ab, hörst du, ich verdufte, ich bin schon weg! Servus! Tschau! Lebwohl! Adieu, Herr Kollege!«

In diesem Augenblick sah er, daß der kleine Kater in der Luft baumelte und sich nur noch mit den Vorderpfoten an einer Regenrinne festkrallte. Er flatterte zu ihm hinauf, kämpfte sich durch den Sturmwind zu ihm hin, packte ihn mit dem Schnabel am Nackenfell und zog und zerrte ihn mit letzten Kräften in die Rinne hinein.

»Ausgestopft will ich sein!« stieß er dann hervor. »Ich bin scheint's als Ei aus dem Nest gefallen, davon hab' ich einen Dachschaden, keine Frage.«

Dann fühlte auch er, daß seine Kräfte ihn verließen. Die Wirkung des Aufenthalts in der Tonne machte sich auch bei ihm bemerkbar. Ihm wurde sterbenselend.

»Ich rühr' mich nicht mehr vom Fleck«, schnappte er, »ich bleib' hier jetzt sitzen, bleib' ich. Von mir aus soll die Welt ruhig untergehen. Ich kann nicht mehr. Wenn ich noch ein einziges Mal zu fliegen versuch', dann plumps' ich runter wie ein Stein.«

Er äugte über den Rand der Rinne. Tief, tief unter ihnen glitzerten die Lichter der Stadt.

Bei der Phase, die als nächste zu bewältigen war, konnte Tyrannja wieder die Führung übernehmen. Die Anweisung nämlich, auf welche Weise man die Kraft der Wunscherfüllung in den Punsch hineinzwingt, war in Hexwelsch abgefaßt. Es handelte sich dabei um eine Verwirr-Sprache, die zwar unseren normalen Wortschatz verwendet, aber einen völlig verzinkten Gebrauch davon macht. Keines der Wörter bedeutet dabei das, was es üblicherweise bedeutet. *Knabe* heißt zum Beispiel *Globus, Mädchen* heißt *Faß, spazierengehen* heißt *platzen, Garten* heißt *Koffer, sehen* heißt *zupfen, Hund* heißt *Schluck, bunt* heißt *hurtig, plötzlich* heißt *stumpf.* Also heißt der Satz »Ein Knabe und ein Mädchen gingen im Garten spazieren, da sahen sie plötzlich einen bunten Hund.« auf Hexwelsch folgendermaßen: »Ein Globus und ein Faß platzten im Koffer, da zupften sie stumpf einen hurtigen Schluck.«

Tyrannja beherrschte diese Sprache mühelos. Ohne diese Kenntnis ergab der Text des Rezeptes überhaupt keinen Sinn, kein Unwissender hätte dahinter etwas anderes vermuten können als schiere Verrücktheit:

Seid ihr die Meister,
nehmt Geister-Kleister
vereist aus dem feistesten Ei;
blaset im Glase
die rasenden Gase
durch Nasenekstase entzwei!

Pumpen sich Lumpen
im Humpen zu Klumpen,
humpeln sie schrumpelnd in Gips.
Stürzt eine Pfütze
aus nützlicher Grütze
würzig aus rülpsendem Schlips,

torkeln die Korken
an borkigen Forken
morgen voll Sorgen im Sumpf.
Prickeln die Pickel
am Zwickel den Nickel,
tickt Perpendikel am Strumpf.

Ödet sich schnöde
der spröde Tragöde
trödelnd an Knödel und Zopf,
schlichten Gerichte
der gichtigen Nichte
wichtiges Kichern im Kropf.

Die ganze Textstelle war noch ungefähr fünfmal so lang, aber hier mag diese Kostprobe genügen.

Nachdem Tyrannja alles übersetzt hatte, wurden alle Lichter im Labor ausgelöscht. Tante und Neffe standen in völliger Dunkelheit und begannen um die Wette drauflos zu zaubern. Wie in einem Fiebertraum überstürzten sich die Erscheinungen, die aus der Finsternis auftauchten, einander verdrängten und wieder verschwanden.

In der Luft bildeten sich Flammenwirbel, die sich fauchend drehten und zu einer Art Windhose übereinandertürmten, die mehr und mehr in sich zusammenschrumpfte, bis sie die Größe eines Würmchens hatte, das dann von einem Schnabel ohne Vogel aufgepickt wurde; eine graue Wolke schwebte herein, aus der das Gerippe eines Hundes am Schwanz herabhing, dessen Knochen sich in glühende Schlangen verwandelten, die zu einem Knäuel verschlungen über den Boden rollten; ein Pferdekopf mit leeren Augenhöhlen bleckte die Zähne und wieherte ein schreckliches Lachen; Ratten mit winzigen Menschengesichtern tanzten einen Ringelreihen um das Punschglas; eine riesige blaue Wanze, auf deren Rückenschild sich die Hexe setzte, machte eine Art Wettlauf mit einem ebenso großen gelben Skorpion, auf dem der Zauberer hockte; rosarote Blutegel tropften in großer Menge von der Decke herab; ein mannsgroßes schwarzes Ei zerbarst und heraus liefen viele kleine, schwarze Hände, die wie Spinnen herumhüpften; eine Sanduhr erschien, in der die Sandkörnchen von unten

nach oben rieselten; ein brennender Fisch schwamm in der Finsternis herum; ein winziger Roboter auf einem Dreirad erstach mit seiner Lanze eine steinerne Taube, die daraufhin zu Asche zerfiel; ein riesenhafter kahlköpfiger Kerl mit nacktem Brustkasten quetschte sich selber zusammen wie eine Ziehharmonika...

So ging es immer weiter, die Erscheinungen folgten einander schneller und schneller, und alle verschwanden zuletzt in das Punschglas hinein, dessen Inhalt jedesmal aufbrodelte und zischte, als habe man ein glühendes Eisen hineingesteckt.

Nach einem letzten rasenden Wirbel ununterscheidbarer Bilder endete das Ganze mit einer Art Explosion, bei der der Wunschpunsch in seinem Glas aus Kaltem Feuer orangerot aufglühte. Irrwitzer schaltete das Licht wieder an.

Er und die Tante waren nach dieser gemeinsamen Anstrengung zunächst einmal völlig erschöpft. Sie mußten sich durch das Einnehmen von besonderen Zauberkraftpillen aufputschen, um überhaupt noch den letzten und schwersten Teil der Zubereitung durchzustehen. Aber sie durften sich jetzt keine Ruhepause mehr gönnen, denn die Zeit schritt unerbittlich fort.

Dieser vierte und letzte Teil der Prozedur konnte überhaupt nicht in unserer Welt, innerhalb dessen, was wir Zeit und Raum nennen, vollzogen werden. Man mußte sich dazu in die Vierte Dimension begeben. Und so war auch schon die Anleitung dazu in der exorbitanischen Sprache abgefaßt, für die es absolut keine Übersetzungsmöglichkeit gibt, weil in ihr ausschließlich Dinge und Vorgänge der Vierten Dimension ausgedrückt werden können, die in unserer Welt überhaupt nicht existieren.

Diese letzte und größte Anstrengung war unerläßlich, um die Umkehrwirkung in den Punsch hineinzubringen, die bewirkte, daß von allen Wünschen, die man aussprach, das Gegenteil in Erfüllung gehen würde.

Die Anleitung dafür hatte folgenden Wortlaut:

Hackamordax furikrass,
zuckez krackabule:
Irrzefetz drak Hurnehass
Lugefluchs gesule!
Zickergifte Schrillerschrie
kreischal wutegeife.
Tobenorge Killerie
boshaut, krax o'keife.

Zornemon us flackatas,
knirschur, my molarens,
Grieneschaum zergrimme grass –
schaudaberk Zuharens.
Gurgol wurg ans Wansteplatz
spuckaduck kapuhten,
krenkakralla Kretzekratz
blutentu – zerwuhten!
Wahnwas sauf' Dramaulefass?
Rulps gigantomule:
Hackamordax furikrass,
Lugefluchs gesule!

Diesen Teil des Rezeptes konnte zunächst weder Irrwitzer noch Tyrannja entschlüsseln. Aber sie wußten, daß man Exorbitanisch eben nur in der Vierten Dimension sprechen und verstehen kann, und so blieb ihnen nichts anderes übrig, als sich unverzüglich dorthin zu begeben.

Nun ist die Vierte Dimension ja nicht anderswo, weit weg, sondern genau hier, wo wir auch sind, nur nehmen wir sie nicht wahr, weil weder unsere Augen noch unsere Ohren dafür eingerichtet sind.

Tante Tyti hätte hier allein nicht mehr weiter gewußt, aber Beelzebub Irrwitzer kannte eine Methode, wie man von einer Dimension in die andere springen konnte.

Er holte eine Injektionsspritze und eine seltsam geformte, kleine Flasche, in der eine farblose Flüssigkeit schwappte.

*L*uzifers
*S*alto
*D*imensionale

stand darauf.

»Man muß es direkt ins Blut spritzen«, erklärte er.

Tyrannja nickte anerkennend.

«Ich sehe nun doch, Bubi, daß ich dich nicht umsonst habe studieren lassen. Hast du Erfahrung mit dem Zeugs?«

»Ein wenig, Tyti. Ich habe ab und zu kleine Reisen damit gemacht, teils zu Forschungszwecken, teils zum Vergnügen.«

»Dann laß uns sofort abfahren.«

»Ich muß dich aber darauf aufmerksam machen, liebe Tante, daß die Sache nicht ganz ungefährlich ist. Es kommt alles auf die richtige Dosierung an.«

»Was heißt das?« wollte die Hexe wissen.

Irrwitzer lächelte sie auf eine Art an, bei der ihr ganz und gar nicht behaglich zumut wurde.

»Es heißt«, sagte er, »daß du auch werweißwo landen kannst, Tytilein. Ist die Dosis auch nur eine Winzigkeit zu klein, so fällst du in die Zweite Dimension hinunter. Dort wärest du dann vollkommen flach, so flach wie eine Filmprojektion. Du hättest nicht mal mehr eine Rückseite, so flach wärest du. Und vor allem, du könntest aus eigener Kraft nie mehr in unsere gewöhnliche Dritte Dimension aufsteigen. Du müßtest vielleicht für immer und ewig ein zweidimensionales Filmbildchen bleiben, mein armes altes Mädchen. – Ist die Dosis aber zu groß, dann wirst du in die Fünfte oder Sechste Dimension hinaufkatapultiert. Diese höheren Dimensionen sind so verwirrend, daß du nicht einmal mehr wissen würdest, welche Stücke zu dir gehören und welche nicht. Du würdest vielleicht unvollständig zurückkommen oder auch falsch zusammengesetzt – wenn überhaupt.«

Einige Augenblicke lang starrten sich die beiden schweigend an.

Sie wußte, daß ihr Neffe vorläufig noch dringend auf ihre Mithilfe angewiesen war. Solange der satanarchäolügenialkohöllische Wunschpunsch noch nicht endgültig fertig gebraut war, konnte er bestimmt nicht auf sie verzichten. Und er wußte, daß sie es wußte.

Sie lächelte ebenfalls unheilschwanger.

»Gut«, sagte sie langsam, »ich denke, du wirst wohl alles hundertprozentig richtig machen. Ich verlasse mich ganz auf deine Selbstsucht, Bubi.«

Er zog die farblose Flüssigkeit in seiner Spritze auf, beide entblößten den linken Arm, er prüfte ganz genau die Menge und gab erst ihr und dann sich selbst die Injektion.

Ihrer beider Konturen fingen an zu vibrieren, zu verschwimmen, sich grotesk in die Länge und in die Breite zu ziehen, dann waren sie beide nicht mehr zu sehen.

Im Punschglas aus Kaltem Feuer aber begannen, scheinbar wie von selbst, die sonderbarsten Dinge vor sich zu gehen...

»Ein Schönie soll ich sein?« gackelte der Rabe vor sich hin. »Ja, wahrhaftig – ein schönes Schönie! Ich möcht' mich gleich selbst in Stücke hacken wegen meiner schönialen Idee. Nie mehr denk' ich nach, das schwör' ich, oder ich will den Rest meines Lebens zu Fuß gehen. Vom Nachdenken hat man bloß Unannehmlichkeiten, nix wie Unannehmlichkeiten hat man davon.«

Aber der Kater hörte ihn nicht, er war schon wieder ein ganzes Stück höher geklettert, dorthin, wo das schräge Dach der Turmspitze begann.

»Er schafft's tatsächlich!« sagte Jakob zu sich selbst. »Ich glaub', ich krieg' die Mauser, der Kerl schafft's!«

Er nahm sein letztes bißchen Kraft zusammen und flatterte dem Kater nach, aber er fand ihn nicht mehr in der Dunkelheit. Er landete auf dem Kopf eines steinernen Engels, der eine Posaune des Jüngsten Gerichts blies, und spähte nach allen Seiten.

»Moritz, wo bist du denn?« schrie er.

Keine Antwort.

Da kreischte er verzweifelt in die Finsternis hinein: »Und selbst wenn du's wirklich schaffst bis zu den Glokken hinauf, du Mini-Ritter, du ..., und selbst wenn wir's zu zweit schaffen würden, sie zu läuten ... was bestimmt nicht geht ... dann is' es trotzdem immer noch sinnlos ... weil ... wenn wir sie *jetzt schon* läuten, dann ist es eben

nicht das Neujahrsgeläut, sondern irgendein gewöhnlicher Ton. Es sind doch nicht die Glocken, um die's dabei geht, sondern daß es genau Mitternacht sein muß.«

Kein Laut war zu hören außer dem Pfeifen des Windes, der um die Ecken des Turmes und die steinernen Figuren pfiff. Jakob krallte sich am Kopf des Posaunenengels fest und schrie außer sich: »He, Käterchen, gibt's dich noch oder bist du schon 'runtergehagelt?«

Für den Bruchteil einer Sekunde war ihm, als habe er irgendwo in der Höhe ein schwaches, klägliches Miauen gehört. Er warf sich in die Finsternis und flabusterte hinter dem Ton her, wobei er sich ein paarmal in der Luft überschlug.

Tatsächlich hatte Moritz – er wußte selbst nicht mehr wie – endlich ein Spitzbogenfenster erreicht, durch das er in den Turm hineinkommen konnte. Als Jakob neben ihm landete, verließen ihn endgültig die Kräfte. Er wurde ohnmächtig und purzelte ins Innere hinunter, glücklicherweise nicht tief. Als winziges Fellbündel lag er in der großen Dunkelheit auf den hölzernen Bohlen des Glockenstuhls.

Jakob hüpfte zu ihm hinunter und stupste ihn mit dem Schnabel an. Aber der kleine Kater regte sich nicht mehr.

»Moritz«, krächzte der Rabe, »bist du tot?«

Da er keine Antwort bekam, senkte er langsam den Kopf. Ein Zittern durchlief seinen Körper.

»Eins muß man dir lassen, Käterchen«, sagte er leise und feierlich, »wenn du auch vielleicht nicht gerade

besonders viel Verstand hattest, aber ein Held warst du irgendwie. Deine vornehmen Ahnen könnten ziemlich stolz auf dich sein, wenn es sie gegeben hätte.«

Dann wurde auch ihm schwarz vor den Augen und er fiel einfach um. Der Wind pfiff um die Turmspitze und trug Schnee herein, der die beiden Tiere nach und nach bedeckte.

Im altersschwarzen Gebälk, ganz nahe über ihnen, hingen riesig und schattenhaft die gewaltigen Glocken und warteten schweigend auf den Beginn des neuen Jahres, das sie mit ihren mächtigen Stimmen begrüßen sollten.

Rasend wie in einer Zentrifuge wirbelte der Punsch in seinem Glas aus Kaltem Feuer, denn in seinem Inneren fuhr, glitzernd und funkensprühend, der Schweif eines Kometen gleich einem wahnsinnig gewordenen Riesengoldfisch im Kreise herum.

Irrwitzer und Tyrannja waren aus der Vierten Dimension zurückgekehrt und hingen nun total erschöpft auf ihren Stühlen. Am liebsten hätten sie sich jetzt einfach ein paar Minuten völlig gehen lassen, um sich zu entspannen, aber gerade das durften sie sich auf keinen Fall erlauben; es hätte sie in äußerste Lebensgefahr gebracht.

Mit glasigen Augen starrten sie auf das Gefäß.

Obgleich der Punsch im Prinzip fertig war und sie nun nichts mehr weiter zu tun hatten, galt es in diesen letzten Minuten vor der Vollendung ihres teuflischen Werkes, noch eine Schwierigkeit zu überwinden, die sich beinahe als die größte von allen erwies. Sie bestand darin, etwas bestimmtes *nicht* zu tun.

Laut der allerletzten Anweisung auf der Pergamentrolle brauchten sie jetzt nur noch abzuwarten, bis die Flüssigkeit ganz und gar zur Ruhe gekommen war und alles Trübe sich restlos aufgelöst hatte. Doch bis zu diesem Moment durften sie *auf keinen Fall etwas fragen,* ja sie durften noch nicht einmal eine Frage *denken.*

Jede Frage (zum Beispiel »Wird es gelingen?« oder »Weshalb tue ich das?« oder »Hat es einen Sinn?« oder »Was wird daraus werden?«) enthält ja einen Zweifel. Und zweifeln durfte man in diesen letzten Augenblicken absolut an nichts mehr. Man durfte sich noch nicht einmal in Gedanken fragen, warum man keine Fragen stellen durfte.

Solange der Punsch sich noch nicht ganz beruhigt hatte und klar und durchsichtig geworden war, befand er sich nämlich in einem höchst empfindlichen, instabilen Zustand, der ihn sogar auf Gefühle und Gedanken reagieren ließ. Schon der kleinste Zweifel an ihm konnte bewirken, daß das ganze Gebräu wie eine Atombombe explodierte und nicht nur den Zauberer und die Hexe, sondern auch die Villa Alptraum, ja das ganze Stadtviertel in die Luft sprengte.

Nun ist ja bekanntlich nichts schwerer, als an etwas bestimmtes *nicht* zu denken, das einem gesagt worden ist. Zum Beispiel denkt man normalerweise nicht gerade an Känguruhs. Aber wenn einem gesagt wird, man dürfe jetzt für die nächsten fünf Minuten auf keinen Fall an Känguruhs denken – wie stellt man es da an, nicht gerade deswegen an Känguruhs zu denken? Es gibt nur eine Möglichkeit: Man muß mit aller Konzentration an etwas anderes denken, ganz gleich an was.

So saßen Irrwitzer und Tyrannja nun also da, und vor Angst und Anstrengung, nur ja an keine Frage zu denken, traten ihnen buchstäblich die Augen aus den Köpfen.

Der Zauberer sagte sich leise alle Gedichte auf, die er in seiner Kinderwüstenzeit gelernt hatte. (Kinder*wüste* ist bei bösen Zauberern das, was man bei normalen Menschen Kinder*garten* nennt).

Monoton und atemlos murmelte er vor sich hin:

»Ich bin ein kleines Monsterschwein
und stinke vor mich hin.
Ich will stets grimm und grauslich sein,
bis ich ein großes bin.«

Oder:

»Als das Büblein dem Fröschlein den Kopf abbiß,
da ward ihm so wohlig zumute,
denn Böses zu tun, macht doch ganz gewiß
mehr Spaß als das blöde Gute.«

Oder:

»Nesthäkchen zupft bedächtig still
die Beinchen aus den Fliegen,
denn was ein Haken werden will,
muß sich beizeiten biegen.«

Oder schließlich sogar das Schlafliedchen, das seine Mutter ihm immer vorgesungen hatte, als er noch ganz klein war:

»Schlaf, Kindchen, schlaf!
Dein Vater ist ein Graf,
der fliegt herum als Fledermaus
und saugt das Blut der Leute aus.
Schlaf, Kindchen, schlaf!

Trink, Kindchen, trink!
Die Zähnchen wachsen flink.
Dann machst du's einst wie dein Papa:
Ein Bißchen hier, ein Bißchen da!
Trink, Kindchen, trink!«

Oder andere erbauliche Verse und Liedchen.

Währenddessen rechnete Tyrannja Vamperl im Kopf aus, wieviel ein einziger Taler, der im Jahre Null zu sechs Prozent Zinsen auf ein Bankkonto gelegt worden wäre, bis zum gegenwärtigen Tage mit allen Zinseszinsen ergeben würde, vorausgesetzt daß diese Bank heute noch existierte.

Sie tat das mit der folgenden, allen Geldzauberern und -hexen bekannten Formel:

$$Kn = Ko\,(1+i)^n$$

Sie war bereits bei einer Geldsumme angelangt, die dem Gegenwert mehrerer Goldkugeln vom Umfang unseres Erdenballs entsprach, aber sie war noch lange nicht in unseren Tagen angekommen. Sie rechnete und rechnete, denn sie rechnete ja um ihr Leben.

Aber je länger sich diese Minuten hinzogen – der Punsch war noch immer nicht vollkommen ruhig und klar – desto mehr hatte Irrwitzer das Gefühl, als ob sein ganzer langer Körper sich zu einem Fragezeichen krümmte. Und Tyrannja kam es vor, als bestünden all die unendlichen Zahlenkolonnen, die sie vor sich sah, aus Myriaden mikroskopisch kleiner Fragezeichen, die durcheinander wimmelten und sich nicht in Reih und Glied halten wollten.

»Bei allen geklonten Genen!« stöhnte Irrwitzer schließlich. »Ich kann bald nicht mehr, ich weiß keine Gedichte mehr...«

Und Tyrannja flüsterte entsetzt: »Ich bin mit meiner

Bilanz durcheinandergekommen. Gleich ... gleich ... gleich denke ich an ...«

Klatsch!

Der Neffe hatte seiner Tante mit der Entschlossenheit der Verzweiflung eine gewaltige Maulschelle verabfolgt.

»Aua!« schrie die Hexe außer sich. »Na warte!«

Und sie gab ihrerseits dem Neffen eine Backpfeife, daß dessen Brille quer durchs Labor wirbelte.

Und nun begann ein Schlagabtausch zwischen den beiden, der selbst den rauhesten Catchern Ehre gemacht hätte.

Als sie schließlich innehielten, saßen sie auf dem Boden und schauten sich schnaufend an. Der Neffe hatte ein blaues Auge und die Tante eine blutige Nase.

»War nicht persönlich gemeint, Tyti«, erklärte Irrwitzer. Dann zeigte er auf das Glas aus Kaltem Feuer. »Schau mal da!«

Der Funkenwirbel des Kometenschweifs hatte sich inzwischen vollkommen aufgelöst, alles Trübe war verschwunden, ruhig und klar glänzte in allen Regenbogenfarben der satanarchäolügenialkohöllische Wunschpunsch.

Beide stießen einen tiefgefühlten Seufzer der Erleichterung aus.

»Das mit der Ohrfeige«, sagte Tyrannja, »war die rettende Idee. Du bist ja doch ein guter Junge, Bubi.«

»Weißt du was, Tantchen«, meinte Irrwitzer, »jetzt ist die Gefahr ja vorbei. Jetzt dürfen wir denken, was wir wollen. Und das sollten wir jetzt erst mal nach Herzenslust tun, meinst du nicht?«

»Einverstanden«, antwortete die Hexe und verdrehte genießerisch die Augen.

Irrwitzer feixte sich eins. Natürlich hatte er bei diesem Vorschlag so seine Hintergedanken. Tantchen sollte sich wundern.

Als der Rabe und der kleine Kater aus ihrer Ohnmacht langsam wieder zu sich kamen, glaubten sie zunächst zu träumen. Der eisige Wind hatte sich gelegt, es war ganz still, die Nacht war sternenklar, sie froren nicht mehr und der riesige Glockenstuhl war von einem wunderbaren, goldenen Licht erfüllt. Eine der großen, steinernen Figuren, die seit Jahrhunderten außerhalb der Spitzbogenfenster auf die Stadt hinunterblickten, hatte sich umgedreht und war eingetreten. Aber jetzt sah die Statue gar nicht mehr steinern aus, sondern sehr lebendig.

Es handelte sich um einen zierlichen alten Herrn in einem goldbestickten langen Mantel, auf dessen Schultern hohe Schneepolster lagen. Er trug eine Bischofsmütze auf dem Kopf und in der linken Hand einen Krummstab. Seine wasserblauen Augen blickten unter buschigen, weißen Brauen nicht unfreundlich, aber ein wenig ratlos auf die beiden Tiere.

Im ersten Augenblick hätte man ihn für Sankt Nikolaus halten können, aber er konnte es nicht sein, denn sein Kinn war bartlos. Und wer hätte je einen rasierten Nikolaus gesehen?

Der alte Herr hob die rechte Hand, und Jakob und Moritz fühlten plötzlich, daß sie sich weder bewegen noch den geringsten Laut hervorbringen konnten. Beiden war wohl ängstlich zumut, zugleich aber fühlten sie sich auf eine unerklärliche Art in guter Hut.

»Na, ihr beiden Lauser«, sagte der alte Herr, »was treibt ihr eigentlich hier oben?«

Er kam noch etwas näher und beugte sich über sie, um sie aus der Nähe zu betrachten. Dabei kniff er die Augen ein wenig zu, offenbar war er kurzsichtig.

Der Rabe und der Kater saßen da und guckten zu ihm auf.

»Ich weiß schon, was ihr vorhabt«, fuhr der alte Herr fort, »ihr habt's ja laut genug herumgeschrieen, während ihr hier heraufgeturnt seid. Ihr wolltet mir mein schönes Neujahrsgeläut stibitzen. Ehrlich gesagt, das finde ich nicht gerade nett von euch. Ich habe zwar allerhand übrig für einen guten Spaß, schließlich bin ich ja Sankt Sylvester, aber was ihr da tun wolltet, ist ein schlechter Spaß, findet ihr nicht? Nun, da bin ich ja gerade noch rechtzeitig gekommen.«

Die beiden Tiere versuchten zu protestieren, konnten aber noch immer nicht sprechen.

»Ihr wußtet wohl gar nicht«, meinte Sankt Sylvester, »daß ich einmal im Jahr, zu meinem Namensfest, für ein paar Minuten hierher komme, um nach dem Rechten zu sehen. Vielleicht sollte ich euch für diesen dummen Streich, den ihr mir da spielen wolltet, für ein Weilchen in Steinfiguren verwandeln und euch hier zwischen die

Säulen setzen. Ja, das werde ich wohl tun. Wenigstens bis morgen früh, damit ihr Zeit habt, über euch selbst nachzudenken. Doch erst will ich hören, was ihr mir zu sagen habt.«

Aber die Tiere saßen reglos.

»Habt ihr plötzlich die Sprache verloren?« fragte Sankt Sylvester verwundert, dann erinnerte er sich. »Ach so, ach so, entschuldigt, ich habe ganz vergessen...«

Er machte von neuem eine Handbewegung.

»Ihr könnt jetzt reden, aber schön der Reihe nach und keine faulen Ausreden, wenn ich bitten darf.«

Und nun endlich konnten die beiden mißverstandenen Helden unter Krächzen und Miauen erklären, was sie hier heraufgetrieben hatte, und wer sie waren, und worin die bösen Pläne des Zauberers und der Hexe bestanden. In ihrem Eifer redeten sie manchmal gleichzeitig, und so fiel es Sankt Sylvester nicht ganz leicht, alles klar zu verstehen. Aber je länger er zuhörte, desto freundlicher strahlten seine Augen.

Beelzebub Irrwitzer und Tyrannja Vamperl hatten sich selbst inzwischen in eine schier ausweglose Situation gebracht.

Als der Zauberer den Vorschlag machte, nun erst einmal ihren Gedanken freien Lauf zu lassen, um ein wenig zu entspannen, hatte er dabei einen tückischen Plan verfolgt. Er wollte die ahnungslose Tante überrumpeln. Der Wunschpunsch war fertig, deshalb brauchte er ihre Mithilfe ja nun nicht mehr. Er hatte beschlossen, sie auszuschalten, um die unvorstellbare Macht des Zaubergetränks ganz für sich allein zu haben. Doch selbstverständlich hatte sich Tyrannja nur zum Schein und in genau der gleichen Absicht auf die kleine Pause eingelassen. Auch sie hielt den Augenblick endlich für gekommen, sich ihres Neffen zu entledigen.

Noch einmal nahmen sie beide im gleichen Augenblick all ihre magischen Kräfte zusammen und versuchten, sich gegenseitig mit ihrem Zauberblick zu lähmen. Sie saßen voreinander und starrten sich an. Ein lautloser, ungeheurer Kampf entbrannte zwischen ihnen. Aber bald schon zeigte sich, daß sie in bezug auf ihre Willenskräfte ganz gleich stark waren. Und so blieben sie sitzen, ohne ein Wort zu wechseln, ohne sich zu bewegen, und der Schweiß rann ihnen vor Anstrengung übers Gesicht. Keiner ließ den anderen aus dem Auge, beide hypnotisierten und hypnotisierten aus Leibeskräften drauflos.

Eine dicke Fliege, die irgendwo auf einem der staubigen Regale zu überwintern beschlossen hatte, wurde plötzlich wach und summte im Labor herum. Sie fühlte etwas, das sie anzog wie ein scharfer Lichtstrahl. Aber es war kein Licht, sondern die Lähmungskraftstrahlen aus den Augen der Hexe und des Zauberers, die zwischen beiden hin und her zuckten wie enorme elektrische Entladungen. Der Brummer geriet mitten hinein und fiel auf

der Stelle mit einem leisen Plumps zu Boden, unfähig, auch nur noch ein Beinchen zu rühren. Und so blieb er für den Rest seines kurzen Lebens.

Aber Tante und Neffe konnten sich inzwischen auch schon nicht mehr bewegen. Beide waren mitten im schönsten Hypnotisieren vom anderen hypnotisiert worden. Und natürlich konnten sie genau dadurch nun auch nicht mehr aufhören, sich gegenseitig zu hypnotisieren.

Nach und nach dämmerte wohl beiden der Gedanke, daß sie da einen fatalen Fehler gemacht hatten, aber nun war es zu spät. Keiner von ihnen war mehr imstande, auch nur einen Finger zu rühren, geschweige denn, den Kopf in eine andere Richtung zu drehen oder die Augen zu schließen, um den Zauberblick zu unterbrechen. Keiner *durfte* das ja auch tun, ehe es nicht der andere tat, weil er sonst der Macht des anderen widerstandslos ausgeliefert gewesen wäre. Die Hexe konnte nicht aufhören, ehe der Zauberer nicht aufhörte, und der Zauberer konnte nicht aufhören, ehe die Hexe nicht aufhörte. Sie waren durch ihre eigene Schuld in etwas hineingeraten, das man in Zauberkreisen einen Circulus vitiosus nennt, das heißt, einen unheilvollen Kreislauf.

»Man lernt doch nie aus«, sagte Sankt Sylvester. »Da sieht man mal, wie sehr selbst unsereins sich noch irren kann. Ich habe euch unrecht getan, meine kleinen Freunde, und ich bitte euch um Verzeihung.«

»Nicht der Rede wert, Monsignore«, antwortete Moritz mit einer eleganten Pfotenbewegung, »so etwas kann in der vornehmsten Gesellschaft passieren.«

Und Jakob fügte hinzu: »Is' geschenkt, Hochwürden, machen Sie sich nix draus. Ich bin dran gewöhnt, schlecht behandelt zu werden.«

Sankt Sylvester schmunzelte, wurde aber sofort wieder ernst.

»Was machen wir denn jetzt?« fragte er ein wenig hilflos. »Was ihr da erzählt habt, klingt ja wirklich schrecklich.«

Moritz, den der unerwartete Beistand von so hoher Seite von neuem mit heroischer Begeisterung erfüllte, schlug vor: »Wenn Monsignore vielleicht so gütig wären, höchstpersönlich die Glocken zu läuten ...«

Aber Sankt Sylvester schüttelte den Kopf.

»Nein, nein, meine Lieben, so nicht! So geht es auf keinen Fall. Alles in der Welt muß seine Ordnung haben, Raum und Zeit und auch das Ende des alten Jahres und der Beginn des neuen. Da darf nicht mutwillig etwas geändert werden, sonst ginge ja alles drunter und drüber...«

»Was hab' ich gesagt?« meinte der Rabe vergrämt. »Nix is' es! Alles war umsonst. Ordnung muß sein, auch wenn die ganze Welt dabei zum Teufel geht.«

Sankt Sylvester überhörte Jakobs ungebührliche Bemerkung, denn er schien mit seinen Gedanken ganz woanders zu sein.

»Ach ja, ach ja, das Böse, ich erinnere mich...«, seufzte er. »Was ist eigentlich das Böse und warum muß es in der Welt sein? Wir disputieren bisweilen darüber, dort oben, aber es ist wahrhaftig ein großes Rätsel, sogar für unsereins.«

Seine Augen nahmen einen abwesenden Ausdruck an.

»Wißt ihr, meine kleinen Freunde, von der Ewigkeit her gesehen nimmt es sich oftmals ganz anders aus als im Reiche der Zeit. Da sieht man, daß es eigentlich letzten Endes immer dem Guten dienen muß. Es ist sozusagen ein Widerspruch in sich selbst. Immer strebt es nach der Macht über das Gute, aber es kann ja ohne das Gute nicht sein, und würde es je die vollständige Macht erlangen, so müßte es gerade das zerstören, worüber es Macht zu haben begehrt. Darum, meine Lieben, kann es nur dauern, solange es unvollständig ist. Wäre es ganz, dann würde es sich selbst aufheben. Darum hat es eben keinen Platz in der Ewigkeit. Ewig ist nur das Gute, denn es enthält sich selbst ohne Widerspruch...«

»He!« schrie Jakob Krakel und zupfte mit dem Schnabel heftig an dem goldenen Mantel. »Nix für ungut, Euer Merkwürden – Verzeihung, Hochwürden wollt' ich sagen – aber das is' im Augenblick alles ziemlich wurscht, mit Verlaub. Bis Sie mit Ihrer Füllosofie fertig sind, is' es nämlich für alles zu spät.«

Sankt Sylvester hatte sichtlich Mühe, in die Gegenwart zurückzufinden.

»Wie?« fragte er und lächelte verklärt. »Wovon haben wir doch noch gesprochen?«

»Davon, Monsignore«, erklärte Moritz, »daß wir unbedingt jetzt gleich etwas unternehmen müssen, um schreckliches Unheil zu verhindern.«

»Ach ja, ach ja«, sagte Sankt Sylvester, »aber was?«

»Wahrscheinlich, Monsignore, kann uns jetzt nur noch eine Art Wunder retten. Sie sind doch ein Heiliger. Könnten Sie nicht einfach ein Wunder tun – nur ein ganz kleines vielleicht?«

»Einfach ein Wunder!« wiederholte Sankt Sylvester ein wenig betreten. »Mein lieber kleiner Freund, so einfach ist das nicht mit den Wundern, wie du dir das vorstellst. Keiner von uns kann Wunder tun, es sei denn, er wird von oben damit beauftragt. Ich müßte dazu erst ein Gesuch einreichen an höherer Stelle, und es kann lange dauern, bis es bewilligt wird – wenn überhaupt.«

»Wie lange?« fragte Moritz.

»Monate, Jahre, Jahrzehnte vielleicht«, antwortete Sankt Sylvester.

»Zu lang!« krächzte Jakob verdrossen. »Da kann's uns

gestohlen bleiben. Wir brauchen jetzt gleich was, auf der Stelle.«

Sankt Sylvester bekam wieder seinen weltfernen Blick.

»Wunder«, sagte er mit ehrfürchtiger Stimme, »heben nicht die Ordnung der Welt auf, sie sind keine Zauberei, sie kommen aus einer höheren Ordnung, die dem begrenzten irdischen Verstand unbegreiflich ist...«

»Schon recht«, schnarrte Jakob Krakel, »aber *wir* haben's leider mit Zauberei zu tun, und zwar heut' nacht noch.«

»Nun ja, nun ja«, meinte Sankt Sylvester, der wieder Mühe hatte, aus seinen höheren Gedankensphären herabzusteigen, »ehrlich gesagt, meine kleinen Freunde, ich verstehe euch ja, aber ich fürchte, *sehr* viel ist es nicht, was ich für euch tun kann. Ich bin mir auch durchaus nicht sicher, ob es mir überhaupt erlaubt ist, so eigenmächtig zu handeln. Aber da ich nun schon einmal ausnahmsweise hier bin, gäbe es da vielleicht doch eine kleine Möglichkeit...«

Moritz stieß den Raben an und flüsterte: »Siehst du, er hilft uns.«

Aber Jakob erwiderte skeptisch: »Abwarten.«

»Wenn ich euch vorhin richtig verstanden habe«, fuhr Sankt Sylvester fort, »dann würde also ein einziger Glokkenton aus dem Neujahrsgeläut genügen, um die Umkehrwirkung des archälolinearen...« Er blieb stecken.

»Satanarchäolügenialkohöllischen Wunschpunsches«, verbesserte ihn Moritz hilfreich.

»Richtig«, sagte Sankt Sylvester, »damit also die Umkehrwirkung desselben aufgehoben werden würde. War es nicht so?«

»Genau so haben wir's gehört«, bestätigte der Kater, und der Rabe nickte.

»Und ihr meint, schon allein damit würde sich an der schrecklichen Sache etwas ändern?«

»Sicher«, meinte Jakob, »aber nur, wenn die zwei Teufelsbraten nix davon mitkriegen. Sie würden Gutes wünschen, um Böses zu tun, aber es würde Gutes dabei herauskommen.«

»Nun ja, nun ja«, überlegte Sankt Sylvester, »einen einzigen Ton aus meinem eigenen Neujahrskonzert könnte ich euch ja wohl schenken. Ich hoffe nur, es wird niemandem auffallen, daß er fehlt.«

»Bestimmt nicht, Monsignore«, rief Moritz eifrig, »bei einem Konzert kommt es auf einen Ton mehr oder weniger nicht an, das weiß jeder Sänger.«

»Könnt's nicht vielleicht ein bißchen mehr sein?« schlug Jakob vor. »Ich mein' bloß, für alle Fälle und um sicher zu gehen.«

»Mehr auf gar keinen Fall«, sagte Sankt Sylvester streng. »Eigentlich ist schon das zu viel, denn die Ordnung der Welt...«

»Alles klar!« unterbrach ihn der Rabe schnell. »Man wird doch wohl mal fragen dürfen. Aber wie soll das denn eigentlich gehen, Hochwürden? Wenn Sie jetzt den Ton läuten, dann hören ihn die zwei Bösewichter doch auch und sind gewarnt.«

»Jetzt läuten?« fragte Sankt Sylvester und sein Gesicht nahm schon wieder diesen entrückten Ausdruck an. »Jetzt läuten? Das wäre doch ganz sinnlos, denn dann wäre es ja eben kein Ton aus dem Neujahrsgeläut. Das findet doch erst um Mitternacht statt, und das muß auch so bleiben, weil der Anfang und das Ende...«

»Eben!« schnarrte der Rabe grimmig. »Wegen der Ordnung. Bloß is' es dann halt einwandfrei zu spät, is' es dann.«

Moritz winkte ihm, still zu sein.

Sankt Sylvesters Blick schien in weite Fernen zu gehen. Er sah plötzlich viel größer und sehr ehrfurchtgebietend aus.

»In der Ewigkeit«, sprach er, »leben wir jenseits von Raum und Zeit. Es gibt kein Vorher und kein Nachher, und auch Ursache und Wirkung folgen einander nicht, sondern sind ein immerwährendes Ganzes. Darum kann ich euch jetzt schon den Ton schenken, obgleich er erst um Mitternacht erklingen wird. Seine Wirkung wird der Ursache vorausgehen wie bei so vielen Gaben, die aus der Ewigkeit stammen.«

Die Tiere sahen sich an. Keines von beiden hatte verstanden, was Sankt Sylvester da eben gesagt hatte. Der aber strich langsam mit behutsamen Fingern über die mächtige Wölbung der größten Glocke, und plötzlich hatte er ein klares Eisstückchen in der Hand. Zwischen Daumen und Zeigefinger hielt er es den Tieren hin, die es von allen Seiten beäugten. Im Inneren des Eiskristalls glänzte und funkelte ein überirdisch schönes Lichtlein in Gestalt einer einzelnen Note.

»Hier«, sagte er freundlich, »nehmt es, bringt es schnell dorthin und versenkt es unbemerkt in dem höllischenundsoweiter Punsch. Aber werft es ja nicht daneben und verliert es nicht, denn ihr habt nur dieses eine, und ein zweites kann ich euch nicht mehr geben.«

Jakob Krakel nahm das Eisstückchen vorsichtig in den Schnabel und machte, da er ja nichts mehr sagen konnte, nur noch ein paarmal »hm! hm! hm!«, wobei er sich jedesmal verbeugte.

Auch Moritz vollführte einen eleganten Kratzfuß und maunzte: »Ergebensten Dank, Monsignore. Wir werden uns Ihres Vertrauens würdig erweisen. Aber könnten Sie uns vielleicht noch einen letzten Rat geben? Wie sollen wir jetzt noch rechtzeitig dorthin kommen?«

Sankt Sylvester schaute ihn an und holte seine Gedanken noch einmal weit, weit aus der Ewigkeit zurück.

»Was hast du gesagt, mein kleiner Freund?« fragte er und lächelte, wie eben Heilige lächeln. »Wovon sprachen wir gerade?«

»Verzeihung«, stammelte der kleine Kater, »es ist nur, weil ich glaube, ich schaff's nicht mehr, den ganzen Turm wieder hinunter zu klettern. Und der arme Jakob ist auch mit seinen Kräften am Ende.«

»Ach so, ach so«, antwortete Sankt Sylvester, »nun, ich denke, das ist kein Problem. Ihr werdet ja mit dem Glokkenton fliegen, es wird nur ein paar Sekunden dauern, bis ihr dort seid. Haltet euch nur gut aneinander fest. Aber nun muß ich euch wirklich Lebewohl sagen. Es war mir eine große Freude, zwei so tapfere und redliche Geschöpfe Gottes kennengelernt zu haben. Ich werde dort oben von euch erzählen.«

Er hob die Hand zu einer segnenden Gebärde.

Kater und Rabe klammerten sich aneinander, und schon flogen sie mit Schallgeschwindigkeit durch die Nacht und fanden sich zu ihrer größten Überraschung wenige Sekunden später in der Katzenkammer wieder. Das Fenster stand offen, und es war, als hätten sie den kleinen Raum nie verlassen.

Aber daß es kein Traum gewesen war, das bewies das Eisstückchen mit dem schönen Licht darin, das Jakob Krakel im Schnabel hielt.

Was das Leben von Schwarzmagiern so überaus anstrengend und ungemütlich macht, ist der Umstand, daß sie alle Wesen, ja sogar auch die einfachen Gegenstände in ihrem Machtbereich ständig und bis ins Letzte unter Kontrolle haben müssen. Sie dürfen sich im Grunde keinen Augenblick der Unaufmerksamkeit oder der Schwäche erlauben, denn all ihre Macht beruht ja auf Zwang. Kein Geschöpf und noch nicht einmal eine Sache würde ihnen freiwillig dienen. Darum müssen sie alles und jedes um sich herum fortwährend durch ihre magische Ausstrahlung in Sklaverei halten. Lassen sie darin auch nur für eine Minute nach, so erhebt sich sofort ein Aufstand gegen sie.

Es mag für normale Menschen schwer zu begreifen sein, daß es überhaupt Leute gibt, die Lust haben, diese Art von Zwang auszuüben. Und doch gab es immer und gibt es auch heute noch so manchen, der vor nichts zurückschreckt, um solche Macht zu erlangen und zu behalten – und das nicht nur unter Zauberern und Hexen.

Je mehr Willenskräfte Irrwitzer also dazu aufwenden mußte, um der lähmenden Hypnosewirkung Tyrannjas seine eigene entgegenzusetzen, desto weniger Energie blieb ihm dazu übrig, die zahllosen Elementargeister in seinem sogenannten »Naturkundemuseum« unter Dauerkontrolle zu halten.

Es begann damit, daß jenes besonders scheußliche kleine Wesen, das Büchernörgele, sich zu regen anfing, sich streckte und reckte, wie erwachend um sich blickte, und als es begriff, wo es sich befand, dermaßen in seinem Einmachglas zu toben anfing, daß es samt diesem aus dem Regal kippte. Es fiel nicht so tief, daß es sich ernstlich verletzte, aber doch tief genug, daß sein gläsernes Gefängnis in Scherben ging.

Kaum sahen das die anderen, die schon überall klopften und Zeichen gaben, da machten sie es ihm nach. Ein Behälter nach dem anderen zersplitterte, die befreiten Opfer halfen ihrerseits mit, die anderen Gefangenen zu befreien, und so wurden es mehr und immer mehr. Bald wimmelte es in dem finsteren Korridor von hunderten und aberhunderten von kleinen Gestalten, von Gnomen und Koboldchen, Wassermännlein und Elfen, Salamandern und Wurzelwichten aller Arten und Formen. Alle rannten und stolperten ziellos durcheinander, denn sie kannten sich ja in der düsteren Villa Alptraum nicht aus.

Das Büchernörgele kümmerte sich nicht viel um die anderen, denn es war viel zu gelehrt, um an die Existenz solcher Wesen zu glauben. Es blähte die Nasenflügel und nahm Witterung auf. Es hatte ja schon seit schrecklich langer Zeit kein Buch mehr benörgeln können und war nun richtig ausgehungert danach. Sein untrüglicher

Spürsinn sagte ihm, wo es geeigneten Stoff finden würde, und es machte sich auf den Weg in Richtung Labor. Erst noch zögernd folgten ihm einige Gnome in der Hoffnung, es würde ihnen den Weg in die Freiheit weisen, dann schlossen sich mehr und immer mehr Wesen diesem Zug an, und schließlich war das ganze

tausendköpfige Heer auf dem Marsch, an der Spitze das Büchernörgele, das so – ohne es eigentlich zu wollen – die Rolle des Revolutionsführers übernommen hatte.

Nun sind alle diese Geister ja zwar klein von Gestalt, aber ihre Kräfte sind, wie man weiß, gewaltig. Das ganze Gemäuer zitterte bis in die Grundfesten hinein wie bei einem Erdbeben, als diese Armee das Labor stürmte und alles kurz und klein zu schlagen begann. Fensterscheiben zerklirrten, Türen platzten auf, in den Wänden entstanden Risse, als ob Bomben eingeschlagen hätten.

Schließlich begannen die Gegenstände, die ja samt und sonders noch stark mit Irrwitzers magischen Kräften aufgeladen waren, ein gespenstisches Eigenleben zu gewinnen und sich gegen die Rebellen zur Wehr zu setzen. Die Flaschen, Glaszylinder, Kolben und Tiegel gerieten in Bewegung, pfiffen, pusteten, tanzten Ballett und spritzten die Essenzen, die sie enthielten, gegen die Angreifer. Viele gingen bei diesem Kampf in Scherben, doch auch manches der Elementargeisterchen bekam eine gehörige Lektion erteilt und zog es vor, hinkend und jammernd in den Toten Park hinaus zu fliehen und sich in Sicherheit zu bringen.

Das Büchernörgele hatte sich aus diesem lärmenden Tohuwabohu in die stille Bibliothek zurückgezogen, um in Ruhe seinem Bedürfnis zu frönen. Es zog den nächstbesten Folianten heraus und begann unverzüglich, nach Herzenslust daran herumzunörgeln. Doch das Zauberbuch ließ sich das nicht gefallen und schnappte nach ihm.

Während die beiden noch kämpften, begannen auch alle anderen Bücher der Bibliothek lebendig zu werden. In Reih und Glied marschierten sie zu hunderten und tausenden aus den Regalen.

Nun ist es ja eine bekannte Tatsache, daß Bücher sich oft untereinander spinnefeind sind. Schon bei ganz normalen Büchern wird jeder, der ein klein wenig Feingefühl besitzt, »Justine« nicht gerade neben »Heidi« stellen und »Die Steuergesetze« nicht gerade neben »Die unendliche Geschichte«, obwohl normale Bücher sich dagegen natürlich nicht wehren können. Aber bei den Büchern von Zauberern ist das anders, vor allem wenn sie die Fessel der Sklaverei abschütteln. So hatten sich binnen kurzem unter den zahllosen Büchern, je nach Inhalt, verschiedene Kampfgruppen gebildet, die mit aufgerissenen Buchdeckeln aufeinander losgingen und versuchten, sich gegenseitig zu verschlingen. Da wurde sogar das Büchernörgele von Furcht ergriffen und floh.

Zuletzt fingen auch noch die Möbel an, sich an dem allgemeinen Getobe zu beteiligen. Schwere Schränke setzten sich ächzend in Bewegung, Truhen voll Hausrat oder Geschirr hopsten gravitätisch herum, Stühle und Sessel wirbelten wie Schlittschuhläufer auf einem Bein, Tische galoppierten und schlugen vorn und hinten aus wie Pferde beim Rodeo – kurzum, es war, was man einen richtigen Hexensabbat zu nennen pflegt.

Die Wanduhr mit dem grausamen Spielwerk hieb sich nicht länger selbst mit dem Hammer auf den wehen Daumen, sondern schlug wild um sich. Ihre Zeiger drehten sich wie Propeller, sie löste sich von der Wand und kreiste als Hubschrauber über dem Schlachtfeld. Und jedesmal, wenn sie über den Köpfen des Zauberers und der Hexe vorüberkam, die sich noch immer nicht rühren konnten, schlug sie mit voller Kraft zu.

Inzwischen waren auch die letzten Elementargeister ins Freie geflohen und hatten sich in alle Winde zerstreut. Die Bücher, Möbel und Gegenstände, die sich bis jetzt hauptsächlich untereinander bekämpft hatten, richteten nun ihre gemeinsame Wut mehr und mehr gegen ihre Unterdrücker. Irrwitzer und Tyrannja wurden von fliegenden Büchern getroffen, vom Haifischkopf gebissen, von Glaskolben bespritzt, von Kommoden gepufft und von ausschlagenden Tischbeinen umgehauen, bis sie beide zur gleichen Zeit über den Boden kugelten. Aber dadurch war nun natürlich die wechselseitige Hypnose unterbrochen, und beide konnten sich aufrappeln.

Mit gewaltiger Stimme donnerte Irrwitzer: »Haaalt!«

Er hob die Arme, aus allen zehn Fingern schossen grünglühende Blitze in jeden Winkel des Labors, in alle anderen Räume der Villa Alptraum, durch die krummen Korridore, die Treppen hinauf bis in den Speicher und hinab bis in den Keller, dazu brüllte er:

»Ding und Wesen, nah und fern,
seid gehorsam meiner Macht!
Wieder seid ihr überwacht,
dienstbar einzig eurem Herrn.«

Die entflohenen Elementargeister konnte er damit allerdings nicht mehr zurückzwingen, denn die hatten sich inzwischen vor seinem magischen Zugriff in Sicherheit gebracht, aber das ganze Tollhaus im Inneren der Villa stand im gleichen Augenblick still. Was in der Luft herumsauste, fiel polternd oder klirrend zu Boden, was ineinander verbissen oder verknäult war, trennte sich – alles lag reglos. Nur die lange Pergamentschlange, auf der das Rezept stand, krümmte sich noch wie ein riesiger Wurm, denn sie war in den offenen Kamin gefallen und verbrannte gerade zu Asche.

Schwer atmend blickten Irrwitzer und Tyrannja sich im Labor um. Es sah zum Fürchten aus, nichts als zerfetzte Bücher, zerborstene Fenster und Gefäße, umgestürzte und demolierte Möbel, Scherben und Bruchstücke. Von den Wänden und von der Decke tropften die Essenzen und bildeten auf dem Boden rauchende Pfützen. Zauberer und Hexe waren nicht minder bös zugerichtet, voller Beulen, Schrammen und blauer Flecken, und ihre Kleider waren zerfetzt und besudelt.

Nur der satanarchäolügenialkohöllische Wunschpunsch in seinem Glas aus Kaltem Feuer stand noch immer unversehrt mitten im Raum.

Kater und Rabe waren eben erst von der Turmspitze in die Katzenkammer zurückgekommen, als das Klirren und Bersten der Einmachgläser aus dem Korridor zu hören war. Da sie nicht ahnen konnten, was die Ursache dieses Höllengetöses war, hatten sie sich in den dunklen Garten hinaus und auf den Ast eines toten Baumes geflüchtet. Dort saßen sie nun, dicht aneinandergedrückt, und horchten erschrocken auf das vermeintliche Erdbeben, das die ganze Villa erschütterte, und beobachteten das Zerplatzen der Fensterscheiben.

»Meinst du, sie streiten sich?« flüsterte Moritz.

Jakob, der noch immer krampfhaft das Eisstückchen mit dem schönen Lichtlein darin im Schnabel hielt, machte nur »Hm, hm?« und zuckte mit den Flügeln.

Es war inzwischen vollkommen windstill. Die finsteren Wolken hatten sich verzogen und der Sternenhimmel funkelte wie Millionen von Diamanten. Aber es war noch kälter geworden.

Die beiden Tiere zitterten und rückten enger zusammen.

Irrwitzer und Tyrannja standen einander gegenüber,

zwischen sich das riesige Punschglas. Sie starrten sich mit unverhülltem Haß an.

»Verdammte alte Hexe«, knirschte er, »das alles ist allein deine Schuld.«

»Es ist deine, du hinterlistiger Betrüger«, zischte sie. »Tu das ja nie mehr wieder!«

»Du hast damit angefangen.«

»Nein, du.«

»Das lügst du.«

»Du wolltest mich ausschalten, um den Punsch allein zu trinken.«

»Genau das wolltest du doch tun.«

Beide schwiegen verbissen.

»Bubi«, sagte die Hexe schließlich, »laß uns vernünftig sein. Wie es auch war, wir haben dadurch eine Menge Zeit verloren. Und wenn wir den Punsch nicht umsonst gebraut haben wollen, dann ist jetzt Ultimo.«

»Du hast recht, Tante Tyti«, antwortete er mit schiefem Lächeln. »Deshalb sollten wir jetzt schleunigst die beiden Spione holen, damit wir endlich mit der Party anfangen können.«

»Da gehe ich lieber mit«, meinte Tyrannja, »sonst kommst du am Ende nochmal auf dumme Gedanken, mein Junge.«

Und eilig kletterten sie über die Trümmerhaufen weg und rannten auf den Korridor hinaus.

»Jetzt sind sie weg«, raunte Moritz, der Nachtaugen hatte und das Innere des Hauses besser beobachten konnte, »jetzt schnell, Jakob! Flieg schon los, ich komm' nach.«

Jakob flatterte mit unsicheren Flügelschlägen vom Ast herunter auf eines der zerbrochenen Fenster des Labors zu. Moritz mußte erst mit klammen Pfoten von dem toten Baum herunterklettern, sich durch den hohen Schnee zum Haus hinarbeiten, aufs Fensterbrett springen und vorsichtig durch das Loch in der Scheibe steigen. Er sah ein paar blutige Federn an dem Glassplitter und erschrak.

»Jakob«, flüsterte er, »was ist mit dir? Bist du verletzt?«

Doch dann mußte er erst ein paarmal so heftig niesen, daß er fast umfiel. Keine Frage, er hatte sich zu allem Unglück auch noch schwer erkältet.

Er schaute sich suchend im Labor um und sah die Verwüstung.

»Du lieber Himmel«, wollte er sagen, »wie sieht's denn hier aus!«

Aber seine Stimme war nur noch ein heiseres Piepsen.

Jakob saß bereits auf dem Rand des Punschglases und versuchte immer wieder, das Eisstückchen hineinzuwerfen, aber es gelang ihm nicht. Sein Schnabel war zusammengefroren.

Er warf Moritz hilfesuchende Blicke zu und machte fortwährend »Hm! Hm! Hm!«

»Hör doch nur!« piepste der kleine Kater mit tragischer Miene. »Hörst du meine Stimme? Das ist alles, was von ihr noch übriggeblieben ist. Aus und vorbei für immer!«

Der Rabe hopste zornig auf dem Rand des Punschglases herum.

»Worauf wartest du?« piepste Moritz. »Wirf den Ton doch hinein!«

»Hm! Hm!« antwortete Jakob und versuchte verzweifelt, seinen Schnabel aufzubekommen.

»Warte, ich helfe dir«, flüsterte Moritz, der endlich begriffen hatte. Er sprang ebenfalls auf den Rand des

Punschglases, zitterte aber so an allen Gliedern, daß er um ein Haar hineingefallen wäre. Er hielt sich gerade noch an Jakob fest, der auch nur mit Mühe das Gleichgewicht halten konnte.

Dann hörten sie die Stimme der Hexe vom Korridor her: »Nicht da? Was soll das heißen, sie sind nicht da? Halloho, Jaköbchen, mein Rabe, wo steckt ihr?«

Und dann Irrwitzers heiserer Baß: »Maurizio di Mauro, mein liebes Käterchen, komm doch mal her zu deinem guten Maestro!«

Die Stimmen kamen näher.

»Großer Kater Unser im Himmel, hilf uns«, stieß Moritz hervor und bemühte sich mit beiden Pfoten, Jakobs Schnabel aufzubekommen.

Dann machte es plötzlich plumps!, das ganze riesige Glas begann zu vibrieren, aber zu hören war nichts, nur die Oberfläche der Flüssigkeit kräuselte sich, als bekäme sie eine Gänsehaut. Dann glättete sie sich wieder, und das Eisstückchen mit dem Glockenton darin hatte sich spurlos im Wunschpunsch aufgelöst.

Die beiden Tiere sprangen vom Glas herunter und versteckten sich hinter einer umgestürzten Kommode. Im gleichen Augenblick trat Irrwitzer ein, gefolgt von Tyrannja.

»Was war das?« fragte sie argwöhnisch. »Irgendwas war hier. Ich spür's.«

»Was soll schon gewesen sein?« meinte er. »Ich möchte bloß wissen, wo diese Tiere stecken. Wenn sie inzwischen ausgerissen sind, dann hätten wir uns die ganze Mühe mit der Zubereitung des Punsches umsonst gemacht.«

»Na, hör mal«, sagte die Hexe, »was heißt denn umsonst? Immerhin können wir jetzt bis Mitternacht noch hundertprozentig unsere Vertragspflichten erfüllen. Ist das vielleicht nichts?«

Irrwitzer hielt ihr den Mund zu.

»Pst!« zischte er. »Bist du verrückt, Tyti? Vielleicht sind sie hier irgendwo und hören uns.«

Beide lauschten – und natürlich mußte Moritz in diesem Augenblick fürchterlich niesen.

»Aha!« rief Irrwitzer. »Gesundheit, Herr Kammersänger!«

Die Tiere kamen zögernd hinter der Kommode hervor. Jakob mit dem Blutfleck auf den Brustfedern ließ die Flügel schleifen und Moritz schleppte sich schwankend vorwärts.

»Aha!« sagte nun auch Tyrannja gedehnt. »Wie lange seid ihr denn schon hier, ihr lieben Kleinen?«

»Grad' im Moment sind wir zum Fenster 'rein«, krächzte Jakob, »da hab' ich mich geschnitten, wie Sie sehen, Madam.«

»Und warum seid ihr nicht in der Katzenkammer geblieben, wie's euch befohlen war?«

»Das sind wir ja«, log der Rabe drauflos. »Wir haben die ganze Zeit geschlafen, aber wie's dann auf einmal so zum Rumpsen und Krachen angefangen hat, da haben wir uns dermaßen geforchten, daß wir in den Garten geflüchtet sind. Was war denn da nur los? Das war ja direkt fürchterbar. Und wie sehen Sie beide überhaupt aus? Was is' denn mit Ihnen passiert?«

Er stieß den Kater an, und der wiederholte mit schwacher Stimme: »...denn mit Ihnen passiert?«

Und dann bekam er einen schlimmen Hustenanfall.

Wer je gesehen hat, wie eine kleine Katze sich die Seele aus dem Leib hustet, der weiß, was für ein herzzerbrechender Anblick das ist. Zauberer und Hexe taten, als seien sie sehr besorgt.

»Hört sich ja schlimm an, mein Kleiner«, meinte Irrwitzer.

»Ich finde, ihr seht beide ziemlich erledigt aus«, fügte Tyrannja hinzu. »Ist euch wirklich weiter nichts passiert?«

»Weiter nichts?« schrie Jakob. »Na, ich dank' recht schön! Eine halbe Stunde sind wir auf dem Baum da draußen gehockt, weil wir uns nicht zurückgetraut haben – und das bei dieser lausigen Kälte. Weiter nichts! Ich bin ein Rabe, Madam, und kein Pinguin! Ich spür' meinen Reißmatissimus in allen Gliedern, daß ich keinen Flügel mehr rühren kann. Weiter nichts! Den Tod haben wir uns beide geholt. Weiter nichts! Ach, ich hab's ja gleich gesagt, es nimmt ein böses Ende.«

»Und hier drin?« fragte Tyrannja mit schmalen Augen. »Habt ihr hier irgendwas berührt?«

»Gar nix«, schnarrte Jakob, »uns reicht noch der Schreck von vorher mit der Papierschlange.«

»Laß es gut sein, Tyti«, sagte der Zauberer. »Wir verlieren nur Zeit.«

Aber sie schüttelte den Kopf.

»Irgend etwas habe ich gehört. Ich bin sicher.«

Sie musterte die Tiere durchdringend.

Jakob machte den Schnabel auf, um etwas zu erwidern, aber er machte ihn wieder zu. Ihm fiel nichts mehr ein.

»Das war ich«, brachte Moritz mit piepsender Stimme heraus. »Verzeihung bitte, aber mein Schwanz war so steif gefroren wie ein Spazierstock und ganz gefühllos, und damit bin ich aus Versehen an das Glas da gestoßen – aber nur ganz leicht, und es ist ja auch nichts passiert, Maestro.«

Der Rabe warf seinem Kollegen einen anerkennenden Blick zu.

Zauberer und Hexe schienen sich zu beruhigen.

»Ihr wundert euch«, sagte Irrwitzer, »warum es hier aussieht wie auf einem Schlachtfeld, meine kleinen

Freunde. Ihr fragt euch, wer mich und meine arme alte Tante so zugerichtet hat, nicht wahr?«

»Ja, wer?« gackste Jakob.

»Nun, ich will es euch sagen«, fuhr der Zauberer mit salbungsvoller Stimme fort. »Während ihr beide in der gemütlichen Katzenkammer friedlich geschlummert habt, hatten wir beide einen schrecklichen Kampf zu bestehen – einen Kampf gegen feindliche Mächte, die uns vernichten wollten. Und wißt ihr auch, warum?«

»Nein, warum?« sagte Jakob.

»Wir haben euch doch eine große und wunderbare Überraschung versprochen, nicht wahr? Und was wir versprechen, das halten wir auch. Könnt ihr erraten, worin sie besteht?«

»Nein, worin?« fragte Jakob, und Moritz murmelte es mit.

»So höret denn, meine lieben kleinen Freunde, und freuet euch«, sprach Irrwitzer. »Meine gute Tante und ich haben unermüdlich und unter großen persönlichen Opfern« – dabei warf er Tyrannja einen scharfen Blick zu – »unter großen persönlichen Opfern für das Wohl der ganzen Welt gearbeitet. Die Macht des Geldes« – dabei wies er auf die Hexe – »und die Macht des Wissens« – dabei legte er die Hand auf die eigene Brust und senkte demütig die Augen – »werden sich nun vereinigen, um Glück und Segen über alle leidende Kreatur und über die Menschheit zu bringen.«

Er machte eine kleine Pause und fuhr sich theatralisch mit der Hand über die Augen, ehe er fortfuhr:

»Aber gute Vorsätze rufen alsbald die Mächte des Bösen auf den Plan. Sie sind über uns hergefallen und haben alles darangesetzt, unser edles Vorhaben zu verhindern – das Ergebnis seht ihr vor euch. Aber da wir zwei ein Herz und eine Seele waren, konnten sie uns nicht bezwingen. Wir haben sie in die Flucht geschlagen. Und dort seht ihr unser gemeinsames Werk: Jenes wunderbare Getränk, das die göttliche Zaubermacht besitzt, alle Wünsche zu erfüllen. Selbstverständlich kann so große Macht nur Persönlichkeiten in die Hand gegeben werden, die hoch erhaben darüber sind, jemals auch nur im geringsten einen egoistischen Gebrauch von ihr zu machen, Persönlichkeiten wie Tante Tyti und ich ...«

Das war offenbar sogar für ihn selbst zu viel. Er mußte sich die Hand vor den Mund halten, um zu verbergen, daß ihn ein boshaftes Kichern schüttelte.

Tyrannja nickte ihm zu und nahm rasch das Wort: »Das hast du wirklich sehr schön gesagt, mein lieber Junge. Ich bin gerührt. Der große Augenblick ist gekommen.«

Dann bückte sie sich zu den Tieren herunter, tätschelte sie und sagte mit bedeutungsvoller Betonung: »Und ihr, meine lieben Kleinen, seid auserwählt, Zeugen dieses fabelhaften Ereignisses zu sein. Das ist eine große Ehre für euch. Da seid ihr wohl glücklich, nicht wahr?«

»Aber wie!« krächzte Jakob grimmig. »Ich danke bestens.«

Moritz wollte ebenfalls etwas sagen, bekam aber statt dessen einen neuen Hustenanfall.

Zauberer und Hexe suchten unter dem herumliegenden Geschirr zwei Trinkgläser, die noch ganz waren, fanden auch einen Schöpflöffel, zogen Stühle heran und setzten sich zu beiden Seiten des Punschbehälters.

Sie füllten ihre Gläser mit dem opalisierenden Gebräu und tranken sie auf einen Zug aus, ohne abzusetzen. Als sie fertig waren, schnappten sie beide nach Luft, denn der Punsch war tatsächlich alkohöllisch stark. Aus Irrwitzers Ohren stiegen Rauchkringel, und Tyrannjas spärliche Haarsträhnen rollten sich zu Korkenzieherlöckchen zusammen.

»Aaah!« machte er und wischte sich den Mund ab. »Das tut gut.«

»Jaaa«, sagte sie, »das belebt ordentlich.«

Und dann begannen sie, ihre Wünsche vom Stapel zu lassen. Natürlich mußte das in Reimen geschehen, damit es wirksam war.

Der Zauberer war schneller mit seinem ersten Spruch fertig:

»Punsch aller Pünsche, erfüll' meine Wünsche:
Zehntausend sterbende Bäume im Wald
soll'n wieder treiben,
und die noch gesund sind, jung oder alt,
sollen's auch bleiben.«

Und nun hatte auch die Hexe ihren Spruch fertig:

»Punsch aller Pünsche, erfüll' meine Wünsche:
Die Aktien der Firma Kahlschlag & Co.
machen nie mehr Gewinn.
Sie taugen nur noch als Papier für das Klo,
da gehören sie hin.«

Und dann schenkten sie sich beide ein neues Glas ein und stürzten es hastig auf einen Zug hinunter, denn viel Zeit blieb ihnen nicht mehr, sie mußten ja bis Mitternacht alles ausgetrunken haben.

Wieder war Irrwitzer schneller mit seinem Spruch fertig:

»Punsch aller Pünsche, erfüll' meine Wünsche:
Die Elbe, die Weser, die Donau, der Rhein
und alle Gewässer
soll'n sauber und fischreich wie früher sein,
oder noch besser.«

Und gleich danach rief Tyrannja:

»Punsch aller Pünsche, erfüll' meine Wünsche:
Wer brunnenvergiftet, um Dreck zu verkaufen
zum eigenen Nutz,
soll nie wieder Wein und Champagner saufen,
nur den eigenen Schmutz.«

Von neuem schöpften sich beide ein Glas voll und schütteten es sich eilig in den Hals. Diesmal war die Tante zuerst dran:

»Punsch aller Pünsche, erfüll' meine Wünsche:
Wer mit Robbenfellen und Elfenbein
und dem Fleisch von den letzten Walen
Geschäfte macht, gehe jämmerlich ein,
denn niemand mehr soll dafür zahlen.«

Und der Neffe fiel augenblicklich ein:

»Punsch aller Pünsche, erfüll' meine Wünsche:
Keine einzige Tierart, ob nützlich, ob nicht,
soll mehr ausgerottet werden.
Sie soll'n leben, wie's ihrer Natur entspricht
im Meer, in der Luft und auf Erden.«

Nachdem sie beide neuerlich ein Glas hinuntergestürzt hatten, dröhnte der Zauberer:

»Punsch aller Pünsche, erfüll' meine Wünsche:
Und die Jahreszeiten, die warmen und kalten,
durch Smog und Gase gestört,
sollen wieder die alte Ordnung erhalten,
so wie sich's gehört.«

Und nach kurzem Nachdenken trällerte die Hexe:

»Punsch aller Pünsche, erfüll' meine Wünsche:
Und wer da ein Loch in den Himmel reißt
beim Welt-Profit-Wettrennen,
dem soll es von nun an siedeheiß
die eigene Haut verbrennen.«

Ein weiteres Glas wurde gekippt, diesmal war wieder die Hexe schneller:

»Punsch aller Pünsche, erfüll' meine Wünsche:
Wer Zwietracht schürt zwischen Völkern und Rassen,
um Krieg zu entfachen,
und mit Waffen handelt, zwecks Klimpern der Kassen,
soll Pleite machen.«

Und gleich darauf tönte Irrwitzer mit Stentorstimme:

»Punsch aller Pünsche, erfüll' meine Wünsche:
Das Meer sei lebendig bis auf den Grund!
Die Ölpest soll weichen.
Was im Ozean lebt, das werde gesund,
an den Küsten desgleichen.«

Während sie so drauflos soffen und Verse schmiedeten, fiel es ihnen immer schwerer, das Kichern zu unterdrükken.

Sie malten sich in Gedanken aus, was ihre scheinbar so edlen Wünsche tatsächlich für Unheil in der Welt anrichteten, und es machte ihnen das tollste Vergnügen, die beiden anwesenden Tiere und damit deren Hohen Rat so gründlich hinters Licht zu führen. Jedenfalls glaubten sie ja, das zu tun. Dazu kam aber natürlich noch, daß das alkohöllische Gesöff mehr und mehr auf sie zu wirken begann. Sie waren zwar beide ziemlich ausgepicht und konnten einiges vertragen, aber die Hast, mit der sie trinken mußten, und die teuflische Stärke des Punsches taten das ihre.

Je länger sie herumschwadronierten, desto hochtönender und phrasenhafter wurden ihre Wünsche. Nachdem jeder schon mehr als zehn Gläser in sich hineingeschüttet hatte, begannen sie zu johlen und zu gröhlen.

Eben war wieder Tyrannja an der Reihe:

»Punsch aller Pünsche, erfüll' meine Wünsche:
Der Reichtum, mit dem man hierzuland prahlt,
und den man verdient zu genießen glaubt – hicks! –,
sei nicht mit der Not andrer Völker bezahlt,
die man durch Zinsen um alles beraubt.«

Und dann ließ sich wieder Irrwitzer hören:

»Punsch aller Pünsche, erfüll' meine Wünsche:
Die gefährlichen Quellen der Energie
werden abgeschafft. – Hups! –
Der Wind und die Sonne, wir nützen sie,
sie liefern uns Kraft.«

Nach dem nächsten Glas schrie die Hexe:

»Punsch aller Pünsche, erfüll' meine Wünsche:
Verkauft soll nur werden, was gut ist und echt
und menschlicher Arbeit entstammt,
doch niemals das Leben, Gewissen und Recht
und niemals Würde und Amt. – Hicks! –«

Und der Zauberer röhrte:

»Punsch aller Pünsche, erfüll' meine Wünsche:
Keine neuen Seuchen sollen entstehen,
nicht natürlich, noch künstlich gemacht – hoppla! –,
und die alten sollen verschwinden, vergehen –
und zwar über Nacht.«

Und abermals stürzte jeder von ihnen ein volles Glas hinunter, und Tyrannja kreischte:

»Punsch aller Pünsche, erfüll' meine Wünsche:
Und den Kindern sei Hoffnung und Freude gestiftet,
Vertrau'n in die künftige Welt. – Hups! –
An Seele und Leib sei'n sie unvergiftet,
ihr Wohl gelte mehr als das Geld! – Hicks! –«

Und Irrwitzer zog mit einer neuen Strophe nach und so ging es immer weiter und weiter. Es war eine Art Sauf- und Dichtwettrennen, bei dem mal der eine, mal der andere um eine Nasenlänge vorne lag, aber keiner konnte den anderen endgültig abhängen.

Dem Raben und dem Kater wurde angst und bang beim Zuhören und Zuschauen. Sie konnten ja nicht nachprüfen, was in Wirklichkeit draußen in der Welt auf diese Wünsche hin geschah. Hatte dieser einzige, bis jetzt noch unhörbare Ton aus dem Neujahrsgeläut tatsächlich seine Wirkung getan? Oder war er vielleicht zu schwach gewesen, um die teuflische Umkehrwirkung des Punsches aufzuheben? Wenn der Zauberer und die Hexe doch recht hatten und von all dem, was sie da wünschten, das genaue *Gegenteil* eintrat? Dann war bereits die schlimmste Katastrophe für die ganze Welt im Gange, und niemand konnte sie mehr aufhalten.

Jakob Krakel hatte seinen Kopf unter den Flügel gesteckt, und Moritz hielt sich mit den Pfoten abwechselnd die Ohren und die Augen zu.

Indessen schienen auch Hexe und Zauberer allmählich zu erlahmen, teils, weil ihnen das Reimen immer schwerer fiel und sie ihr vertragliches Pensum an bösen Taten sowieso schon längst für mehr als erfüllt hielten, teils aber auch, weil sie nach und nach den Spaß an der Sache verloren. Auch sie konnten ja die tatsächlichen Folgen ihres Wunsch-Zaubers nicht mit eigenen Augen beobachten, und Leute ihrer Art empfinden das richtige Vergnügen nur, wenn sie sich am Unglück, das sie hervorrufen, auch ganz direkt weiden können.

Deshalb beschlossen sie jetzt, mit dem Rest des Wunschpunsches etwas für ihre persönliche Unterhaltung zu tun und mehr in der unmittelbaren Umgebung zu zaubern.

Jakob und Moritz blieb fast das Herz stehen vor Schreck, als sie das hörten. Nun gab es nur noch zwei Möglichkeiten: Entweder würde sich jetzt herausstellen, daß Sankt Sylvesters Glockenton nicht gewirkt hatte, dann war sowieso alles aus und vorbei, oder er hatte tatsächlich die Umkehrwirkung des Punsches aufgehoben, dann würden Irrwitzer und Tyrannja das jetzt natürlich merken. Und was dem Kater und dem Raben dann bevorstand, war ja nicht schwer zu erraten. Sie wechselten einen beklommenen Blick.

Aber Irrwitzer und Tyrannja hatten inzwischen schon jeder mehr als dreißig Gläser hinter die Binde gegossen und waren beide bereits sternhagelvoll. Sie konnten sich kaum noch auf ihren Stühlen halten.

»Jetzt paß mal auf, meine liebe – hicks! – liebe Tinte Tati«, lallte der Zauberer. »Jetzt nehm' wir uns mal unsere ensückenden klein' Tierleinchen aufs Korn. W..w..was häls du davon?«

»Gute Idee, Bülzebebchen«, antwortete die Hexe, »komm doch mal her su mir, Jakob, mein vorlauter Ungl – hicks! – rabe!«

»Aber aber!« krächzte Jakob entsetzt, »ich bitt' recht schön, Madam, nicht mit mir, nein, ich mag nicht, Hilfe!«

Er versuchte zu fliehen und torkelte im Labor herum, um irgendein Versteck zu finden, aber Tyrannja hatte schon ein volles Glas hinuntergestürzt und brachte nun, nicht ohne Mühe, folgenden Spruch zustande:

»Punschallapinsche, erf... hicks!... füll meine Winsche:
Jakob Krakel soll hicks! – keine Schmerzen mehr haben,
nix Wunden und nix Rheumatismus,
sonnern 's schönste Gefieder von allen Ra... Raben
un' den kräftigsten Organismus – hicks!«

Zauberer und Hexe – und ein wenig auch der pessimistische Rabe selbst – hatten erwartet, daß der Ärmste nun vollkommen nackt sein würde, wie ein gerupfter Gockel, und daß er von Schmerzen gekrümmt mehr tot als lebendig niedersinken würde.

Statt dessen spürte Jakob plötzlich, daß ihn ein herrlich warmes, blauschwarz glänzendes Gefieder zierte, schöner, als er je zuvor in seinem Leben eins gehabt hatte. Er plusterte es, richtete sich hoch auf, warf sich in

die Brust, breitete erst seinen linken, dann seinen rechten Flügel aus und betrachtete sie mit schiefem Kopf.

Beide waren makellos.

»Du dickes Ei!« schnarrte er. »Moritz, siehst du auch, was ich seh', oder bin ich schon total bekloppt?«

»Ich seh's«, flüsterte der kleine Kater, »und ich gratuliere von Herzen. Für einen alten Raben siehst du jetzt beinahe elegant aus.«

Jakob schlug kräftig mit den nagelneuen Schwingen und kreischte begeistert: »Hurrraaa! Mir tut überhaupt nix mehr weh! Ich fühl' mich wie frisch ausgebrütet!«

Irrwitzer und Tyrannja starrten den Raben glasig an. Ihre Hirne waren viel zu benebelt, als daß sie wirklich begriffen, was los war.

»W...wie denn so?« mümmelte die Hexe. »W...was macht denn dieser kicks!... komische Vogel da für dummes Zeug? D...das is' ja alles ganz falsch.«

»Tanne Tatytata«, kicherte der Zauberer, »da has' du wohl irngwas koplett vermurkst – hicks! – Du brings ja schon alles durchnander! Bist ja wohl'n bißchen viel zu stümperlich, armes altes Mächen. Jetzt seig ich dir mal, wie sowas – hupp! – sowas ein richtiger Fachmann macht. Also, paß mal gut auf.« Er goß sich ein volles Glas in die Gurgel und brabbelte:

»Punsch aller Wische, erwunsch' meine Pische:
Dieser Kater sei stattlich wie keiner zuvor,
kerngesund im Bauch und im Hälschen – hupp! –
un' der besteste Sänger, der größte Tenor
im wehschneißen... schneeweißen Pelzchen.«

Moritz, der eben noch sterbenskrank gewesen war und der kaum noch einen Ton hatte hervorbringen können, fühlte plötzlich, wie seine kümmerliche, dicke kleine Gestalt sich straffte, wuchs und die Größe eines bildschönen, muskulösen Katers annahm. Sein Fell war nicht mehr lächerlich gefleckt, sondern blütenweiß und seidig schimmernd, und sein Schnurrbart hätte einem Tiger alle Ehre gemacht.

Er räusperte sich und sagte mit einer Stimme, die plötzlich so voll und wohltönend klang, daß er selbst sofort ganz bezaubert von ihr war: »Jakob, mein lieber Freund – wie findest du mich?«

Der Rabe zwinkerte ihm mit einem Auge zu und schnarrte: »Große Klasse, Moritz, direkt fürschtlich. Haargenau, wie du es immer gern gehabt hättest.«

»Weißt du, Jakob«, meinte der Kater und strich sich den Schnurrbart, »von jetzt an solltest du mich vielleicht doch lieber wieder Maurizio di Mauro nennen. Das paßt doch eigentlich besser zu mir, glaubst du nicht auch? Hör' doch nur mal!«

Er holte Luft und begann schmelzend zu miauen: »O sole mio ...«

»Pst!« machte Jakob und winkte ab. »Vorsicht!«

Aber Zauberer und Hexe hörten zum Glück nichts, denn zwischen ihnen war ein wüster Krach ausgebrochen. Jeder beschuldigte den anderen lallend und lautstark, etwas falsch gemacht zu haben.

»Ein Fachmann willsu sein?« schrie Tyrannja. »Daß ich nicht lache, ha ha. Du bis' ganz einfach ein – hicks! – ein lächerförmiger Nichtskönner.«

»Was erlaubsu dir!« brüllte Irrwitzer zurück. »Ausgerechnet du wills meine Befus … Rebufs … Berufsehre antasten, du alte Dilettante du.«

»Komm, Käterchen«, flüsterte Jakob, »ich glaub', es ist besser, wir verdünnisieren uns hier. Die werden gleich kapieren, was los is', dann nimmt's doch noch ein böses Ende für uns.«

»Ich möchte aber zu gern sehen, wie es ausgeht«, raunte der Kater.

»Mehr Grips als früher«, antwortete der Rabe, »hast du leider nicht mitgekriegt. Naja, wozu braucht den auch ein Sänger? Komm jetzt, und zwar schnell, sag' ich dir!«

Und während Zauberer und Hexe noch stritten, stahlen sich beide unbemerkt durch das zerbrochene Fenster hinaus.

Vom Wunschpunsch war jetzt nur noch ein kleiner Rest übrig. Tante und Neffe waren, wie man so sagt, bereits voll wie die Strandhaubitzen. Und wie es in einem solchen Promille-Zustand bei Leuten mit bösartigem Charakter zu gehen pflegt, redeten sie sich immer mehr in sinnlose Wut hinein.

An die Tiere dachten sie nicht mehr, und so bemerkten sie glücklicherweise auch nicht deren Verschwinden. Auf die Idee, daß irgend etwas die Umkehrwirkung des Zaubertranks aufgehoben haben könnte, kamen sie noch immer nicht. Statt dessen faßten beide in ihrem hemmungslosen Zorn den Entschluß, es dem anderen endgültig zu besorgen – und zwar mit der Kraft des Punsches selbst. Beide beabsichtigten, einander das Schlimmste und Böseste anzuhängen, was möglich war; uralt und abgrundhäßlich und todkrank wollten sie sich gegenseitig zaubern. Darum stürzten sie nun noch einmal beide gleichzeitig ein volles Glas hinunter und schrieen wie aus einem Mund:

»Pusch aller Pinsche, erpüll meine Finsche:
Dir wünsch' ich jetzt Schönheit und ehewige Juhugend,
Gesundheit an – hicks! – Leib und Gemüte
un' jegliche Sorte von Weisheit un' Tugend
un' vor allem – hupp! – ein Herz voller Güte.«

Und da saßen sie zu ihrer beiderseitigen vollkommenen Verblüffung plötzlich voreinander – schön und jung wie Prinz und Prinzessin aus dem Märchen.

Tyrannja betastete sprachlos ihre gertenschlanke Figur (nur das schwefelgelbe Abendkleid hing jetzt natürlich viel zu weit um sie herum), und Irrwitzer strich sich über den Kopf und rief: »Ei potz, was sproßt denn da auf meinem Köpflein? – Hicks! – Holla, welch herrliche Lo.. Lo..Lockenpracht! Man reiche mir einen Kiegel und einen Spamm...wollte sagen, einen Spagel und einen Kimm...ich meine, einen Spiegel und einen Kamm... auf daß ich diese Fülle bändige.«

Tatsächlich war sein vorher kahler Schädel unversehens mit einer wilden schwarzen Mähne bedeckt. Der Tante indessen wallte langes, goldblondes Haar über die Schultern wie der Lorelei, und während sie mit den Fingern ihr vordem so faltenreiches Gesicht berührte, rief sie: »Meine – hicks! – Haut ist ja glatt wie ein Kinderpopo!«

Und dann hielten sie beide plötzlich inne und lächelten sich verliebt an, ganz so als sähen sie sich zum ersten Mal (was ja in dieser Gestalt auch irgendwie der Fall war).

Wenn der Wunschpunsch sie auch beide ganz und gar verändert hatte – freilich nicht so, wie es ihrer Absicht entsprach – so war doch etwas gleich geblieben oder sogar noch stärker geworden, nämlich ihre Besoffenheit. Kein Zauber kann schließlich seine eigene Wirkung wegzaubern, das geht nun einmal nicht.

»Bilzewitzchen«, stammelte die Tante, »du bis' ja wirklich ein Schnullebutz. Ich finde nur – hicks! – du siehst auf eima viel zu doppelt aus.«

»Halt ein, du wonnigliche Maid«, lallte der Neffe, »du bis' für mich eine Fatamorgana, denn du has' plötzlich ein' Heiligenschein oder auch zwei. Jedenfalls verehre ich dich, liebste Tintentante. Ich fühle mich in tiefster Seele umgekrempelt. Hicks! Mir is' so reinlich zumute, weisu? So über alle Maßen hold und liebreich ...«

»Mir geht's genauso«, antwortete sie, »ich könnte die ganze Welt umärmeln, so gut is' mir auf eima im tiefsten Herzengrunde ...«

»Tüttelchen«, brachte Irrwitzer mühsam heraus, »du bis' eine so durch und durch ensückliche Tante, ich möchte mich unbedingt mit dir auf immer und ewig versöhnen. Wir wollen ab jetzt Du sunander sagen, ja?«

»Aber mein süßes Beebi«, erwiderte sie, »wir sagen doch schon seit immer Du sunander.«

Irrwitzer nickte mit schwerem Kopf.

»Richtig, richtig. Du has' ja wieder ma' so ungeuer recht. Dann wollen wir uns eben ab jetzt mit unsern Vornahm' nennen. Ich sum Beispiel heiße ... hicks! ... wie heiß' ich einglich?«

»S ... s ... spielt doch keine Rolle«, sagte Tyrannja. »Wir wollen alles vergessen, was eima gewesen is'. Wir

wollen ein neues Leben anfang', nicha? Wir waren ja beide – hicks! – so böse, schlimme Menschen.«

Der Zauberer begann zu schluchzen.

»Ja, das waren wir. Widerliche, abscheußliche Unholde, das waren wir! Hupp! Ich schäme mich ja so schrecklich, Tantchen.«

Nun begann auch die Tante zu heulen wie ein Schloßhund.

»Komm an meinen jungfräulichen Busen, du jüngler Edling ... hicks! ... du edler Jüngling! Von jetzt an soll alles anners werden. Wir wollen beide lieb und gut sein, ich su dir und du su mir und wir swei su allen.«

Irrwitzer weinte immer heftiger.

»Ach ja, ach ja, so soll es sein! Ich bin ja so gerührt über uns.«

Tyrannja tätschelte ihm die Wange und schniefte: »Wein' doch bitte nicht so, mein Herzblättchen, du brichs mir ja noch das Hicks. Un' außerdem is' es doch auch gar nicht nötig, denn wir haben doch schon so enorm viel Gutes getan.«

»Wann?« fragte Irrwitzer und wischte sich die Augen.
»Na, heute abend«, erklärte die Hexe.
»Wieso?«
»Weil der Punsch doch all unsere guten Wünsche ganz wörtlich erfüllt hat, verstehsu? Er hat nichts umgekehrt.«
»Woher willsu das wissen?«
»Na«, sagte die Tante, »da schau uns doch ma' an. Hicks! Sin' wir vielleicht kein Beweis?«
Erst in diesem Augenblick wurde ihr selbst klar, was sie da eben gesagt hatte. Sie starrte den Neffen an, und der Neffe starrte sie an. Er wurde grün im Gesicht und sie gelb.
»A...a...aber das bedeutet ja«, stotterte Irrwitzer, »wir haben unseren Vertrag überhaupt nicht erfüllt.«
»Viel schlimmer«, wimmerte Tyrannja, »wir haben sogar noch alles verspielt, was wir vorher auf unser Konto verbuchen konnten. Und zwar hundertprozentig!«
»Dann sind wir rettungslos verloren!« brüllte Irrwitzer.
»Hilfe!« schrie die Hexe. »Ich will nicht, ich will nicht gepfändet werden! Da schau, ein le...lele...letztes Glas vom Punsch ist noch für jeden übrig. Wenn wir das benützen, um irgendwas ga...gaga...ganz Böses zu wünschen, etwas Abgrundbö...böböses, dann können wir uns vielleicht doch noch retten.«

Beide füllten in wahnsinniger Eile ein letztes Mal ihre Gläser. Irrwitzer kippte sogar das Punschglas aus Kaltem Feuer um, damit auch wirklich der letzte Tropfen herausfloß. Dann tranken sie beide auf einen Zug ihre Gläser leer.

Sie begannen zu drucksen und zu drucksen, aber keiner von ihnen brachte einen abgrundbösen Wunsch heraus.

»Es geht nicht«, greinte Irrwitzer, »ich kann nich' mal mehr dich verwünschen, Tyti.«

»Ich auch nicht, Bubi«, heulte sie, »und weiß' du auch, w...w...warum? Wir sin' jetzt einfach *viel zu gut* dazu!«

»Entsetzlich!« jammerte er. »...ich wünschte ... ich wünschte ... ich wäre wieder genauso wie vorher, dann wär' alles kein Plobrem.«

»Ich auch, ich auch!« heulte sie.

Und obwohl es kein Spruch war, der sich reimte, erfüllte der Zaubertrank ihnen auch diesen Wunsch. Beide wurden auf einen Schlag, wie sie zuvor gewesen waren: Übel von Charakter und höchst unerfreulich anzusehen.

Aber das half ihnen nun auch nichts mehr, denn der

satanarchäolügenialkohöllische Wunschpunsch war bis auf den letzten Tropfen ausgetrunken. Und das letzte Glas gab ihnen den Rest. Sie fielen von ihren Stühlen und streckten alle Viere von sich.

Im gleichen Augenblick dröhnte ein mächtiger bronzener Glockenton aus dem leeren Punschglas aus Kaltem Feuer und ließ es in Scherben zerfallen.

Draußen begannen die Neujahrsglocken zu läuten.

»Meine Herrschaften«, sagte Herr Made, der plötzlich wieder in Irrwitzers altem Lehnstuhl saß, »das wär's dann wohl. Ihre Zeit ist abgelaufen. Ich werde nun meines Amtes walten. Haben Sie noch etwas zu erwidern?«

Zweistimmiges Schnarchen war die Antwort.

Der Besucher stand auf und ließ seinen lidlosen Blick durch das verwüstete Labor schweifen.

»Na«, murmelte er, »die Herrschaften scheinen sich ja recht gut amüsiert zu haben. Nach dem Erwachen werden sie sich dann wohl nicht mehr in so ausgelassener Stimmung fühlen.«

Er hob eines der Trinkgläser auf, schnupperte interessiert daran und fuhr erschrocken zurück.

»Pfui Engel!« sagte er und warf es angeekelt fort. »Was für ein abscheuliches Aroma! Das riecht man doch sofort, daß mit dem Getränk irgend etwas faul war.«

Er schüttelte den Kopf und seufzte.

»Und sowas trinken die Leute! Nun ja, es gibt eben heutzutage keine Kenner mehr. Höchste Zeit wirklich, daß derart unfähiges Gesindel aus dem Verkehr gezogen wird.«

Und er langte in seine schwarze Mappe und holte einige Pfändungsmarken hervor, auf denen eine Fledermaus abgebildet war. Er leckte daran und klebte sorgfältig Irrwitzer und Tyrannja je eine davon auf die Stirn. Es zischte jedesmal ein wenig.

Dann setzte Maledictus Made sich wieder in den Lehnstuhl, schlug die Beine übereinander und wartete auf die höllischen Seelenpacker, die gleich kommen würden, um die beiden abzutransportieren. Dabei pfiff er leise vor sich hin, denn er dachte zufrieden an seine bevorstehende Beförderung.

Zur gleichen Zeit saßen Jakob Krakel und Maurizio di Mauro nebeneinander auf dem großen Dach des Münsters.

Sie hatten sich inzwischen noch einmal dort hinaufbegeben, was ihnen in ihrem neugestärkten Zustand mühelos gelungen war. Nun sahen sie glücklich zu, wie hinter all den tausend erleuchteten Fenstern die Menschen sich umarmten, wie über der Stadt unzählige Raketen aufstiegen und in farbenglühenden Feuergarben zerplatzten, und sie lauschten ergriffen dem gewaltigen Konzert der Neujahrsglocken.

Sankt Sylvester, der nun wieder nur eine Steinfigur war, blickte von der Höhe des Münsterturms mit entrücktem Lächeln auf all den festlichen Glanz hinunter.

»Ein gutes Neues Jahr, Jakob«, sagte Maurizio mit Rührung in der Stimme.

»Gleichfalls!« antwortete der Rabe. »Ich wünsch' dir viel Erfolg. Mach's gut, Maurizio di Mauro.«

»Das hört sich nach Abschied an«, meinte der Kater.

»Ja«, krächzte Jakob rauh, »is' besser so auf die Dauer, glaub' mir. Wenn die Verhältnisse wieder natürlich sind, dann sind Katzen und Vögel auch wieder natürliche Feinde.«

»Eigentlich schade«, sagte Maurizio.

»Ach, laß mal«, antwortete Jakob, »das is' schon in Ordnung.«

Sie schwiegen eine Weile und lauschten den Glocken.

»Wissen möchte ich«, ließ sich schließlich der Kater vernehmen, »was aus dem Zauberer und der Hexe geworden ist. Das werden wir nun nie erfahren.«

»Macht nix«, sagte Jakob, »Hauptsache, alles is' gut gegangen.«

»Ist es das denn?« fragte Maurizio.

»Klar!« schnarrte Jakob. »Die Gefahr is' vorbei. Wir Raben spüren sowas. Da täuschen wir uns nie.«

Der Kater dachte eine Weile nach.

»Irgendwie«, sagte er dann leise, »tun sie mir fast leid, die zwei.«

Der Rabe schaute ihn scharf an.

»Nun mach aber mal 'n Punkt!«

Beide schwiegen und hörten wieder dem Konzert

der Glocken zu. Sie mochten sich immer noch nicht trennen.

»Jedenfalls«, nahm Maurizio schließlich wieder das Wort, »wird es bestimmt ein *sehr* gutes Jahr für alle – ich meine, wenn überall geschieht, was mit uns geschehen ist.«

»Wird's wohl«, – Jakob nickte tiefsinnig – »aber wem sie's zu verdanken haben, das werden die Menschen nie erfahren.«

»Die Menschen nicht«, pflichtete der Kater bei, »und selbst wenn es ihnen jemand erzählen würde, sie würden es höchstens für ein Märchen halten.«

Abermals trat eine längere Pause ein, aber noch immer machte keiner von beiden Anstalten, sich zu verabschieden. Sie blickten zum funkelnden Sternenhimmel auf, und es kam ihnen beiden vor, als sei er noch nie so hoch und so weit gewesen.

»Siehst du«, sagte Jakob, »das sind jetzt die Höhen des Lebens, die dir bisher noch gefehlt haben.«

»Ja«, stimmte der Kater ergriffen zu, »das sind sie. Von jetzt an werde ich alle Herzen erweichen können, nicht wahr?«

Jakob streifte den schneeweißen, stattlichen Kater mit einem raschen Seitenblick und meinte: »Die von Katzen bestimmt. Mir genügt's, zu meiner Elvira ins gemütliche Nest zu kommen. Sie wird Augen machen, wenn sie mich so sieht – jung und im Erste-Klasse-Frack.«

Er ordnete sorgfältig mit dem Schnabel ein paar abstehende Federn.

»Elvira?« fragte Maurizio. »Sag' mal ehrlich, wieviele Frauen hast du eigentlich?«

Der Rabe räusperte sich etwas verlegen.

»Ach, weißt du, auf Weibchen is' kein Verlaß. Man muß sich beizeiten mit einem Vorrat eindecken, sonst sitzt man am Ende ganz ohne da. Und einer, der nirgendwo zu Hause is', braucht eben überall ein warmes Nest. Na, das verstehst du noch nicht.«

Der Kater tat entrüstet.

»Das werde ich nie verstehen!«

»Warten wir's ab, Herr Minnesänger«, meinte Jakob trocken.

Das Glockenläuten verklang nach und nach. Sie saßen schweigend nebeneinander. Endlich schlug Jakob vor: »Wir sollten jetzt dem Hohen Rat Bescheid sagen. Danach kehrt jeder ins Privatleben zurück, und unsere Wege trennen sich.«

»Warte!« sagte Maurizio. »Zum Hohen Rat können wir immer noch gehen. Jetzt möchte ich gern mein erstes Lied singen.«

Jakob sah ihn erschrocken an.

»Ich hab's kommen sehen«, krächzte er. »Aber für wen willst du eigentlich singen? Is' doch kein Publikum da, und ich bin total unmusikalisch, bin ich.«

»Ich singe es«, antwortete Maurizio, »für Sankt Sylvester und zu Ehren des Großen Katers im Himmel.«

»Na schön« – der Rabe zuckte die Flügel – »wenn du unbedingt meinst. Aber bist du überhaupt sicher, daß dir da oben irgendwer zuhört?«

»Das verstehst du nicht, mein Freund«, sagte der Kater würdevoll, »das ist eine Frage des *Niveaus.*«

Er putzte noch einmal rasch über sein seidenglänzendes, blütenweißes Fell, strich sich den bedeutenden Schnurrbart glatt, nahm Positur ein, und während der Rabe ihm geduldig, aber verständnislos zuhörte, begann er seine erste und schönste Arie zum Sternenhimmel empor zu miauen.

Und weil er nun wunderbarerweise auch plötzlich fließend Italienisch konnte, sang er mit seinem unvergleichlich schmelzenden neapolitanischen Katertenor:

»Tutto è ben' quell' che finisce bene ...«

Und das heißt auf deutsch:

ENDE GUT, ALLES GUT.

CIP-Titelaufnahme der Deutschen Bibliothek

Ende, Michael:
Der satanarchäolügenialkohöllische
Wunschpunsch/Michael Ende.
Mit Bildern von Regina Kehn.
Stuttgart; Wien: Thienemann, 1989
ISBN 3-522-16610-8

Gesamtausstattung Regina Kehn.
Schrift: Bodoni Old Face.
Satz: Steffen Hahn in Kornwestheim.
Reproduktionen: Die Repro in Tamm.
Druck und Bindung: Franz Spiegel Buch in Ulm.

Printed in Germany.

5 4

DER KINDERBUCH KLASSIKER VON MICHAEL ENDE

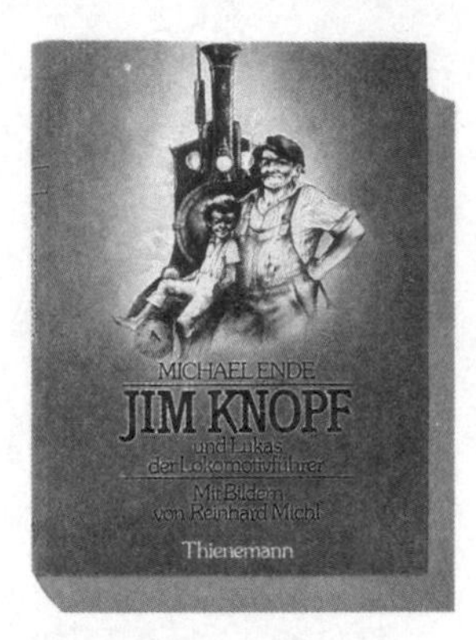

Jim Knopf und Lukas der Lokomotivführer
Bilder von Reinhard Michl
259 Seiten
ISBN 3 522 13700 0

Diese witzige und spannend erzählte Geschichte ist inzwischen ein Kinderbuchklassiker geworden und wird nach wie vor heiß geliebt (nicht nur von Kindern).
Deutscher Jugendbuchpreis

Jim Knopf und die Wilde 13
Bilder von Reinhard Michl
256 Seiten
ISBN 3 522 13710 8

Auch in diesem Band erleben Jim Knopf und sein Freund Lukas der Lokomotivführer wieder die unglaublichen Abenteuer. Gemeinsam besiegen sie die schreckliche Seeräuberbande der »Wilden 13«.
Auswahlliste zum Deutschen Jugendbuchpreis

Beim Buchhändler